TERUG NAAR VLAANDEREN

Johanne A. van Archem

Terug naar Vlaanderen

VCL serie

Met dank aan Anja Evers-Twilhaar

ISBN 978 90 5977 485 8
NUR 344

© 2010, VCL-serie, Kampen
Omslagillustratie en -ontwerp: Bas Mazur
www.vclserie.nl
ISSN 0923-134X

1

Huib Bosschaard zou jaren later nog zeggen dat hij eigenlijk niet had begrepen wat hem precies bezielde en toch had hij het ook wel geweten. Die reis was nodig geweest, daar was hij van overtuigd, ook jaren later nog, toen hij allang een keurige huisvader was met een goedlopende zaak en een navenant inkomen. Maar hij kon zich er soms nog over verbazen dat hij zomaar zijn koffertje inpakte en vertrok in die eerste maanden van dat merkwaardige jaar 1934.

Het begon met één gebeurtenis, die zich ver buiten zijn leven en zijn omgeving afspeelde, een voorval waar hij niets mee te maken had. Het had hem niet met rust gelaten, 'men' had hem niet met rust gelaten.

Hij was op reis gegaan naar het buitenland, voor het eerst van zijn leven en ook voor het laatst. Reizen en vakantie waren zaken die hem helemaal niets zeiden, ook jaren later interesseerde het hem nog steeds niet.

De weken voordat hij vertrok hadden onrust gebracht, angst en onzekerheid. De reis had hem een schok toegebracht, machteloze woede en frustratie. Maar toch ook iets anders…

Die reis had wegen geopend die anders gesloten waren gebleven, besefte hij toen hij erop terugkeek. Die reis was echt nodig geweest, begreep hij later.

Hij was niet de enige die verbaasd was over die onverwachte uitstap, er waren meer mensen, die weinig begrepen van Huibs onverwachte drang naar een ver buitenland.

Huib was geen man om op reis te gaan, integendeel, hij zat het liefst in zijn schuurtje achter de woning van zijn ouwelui en knutselde aan allerhande voorwerpen die met elektriciteit te maken hadden: radio's, lampen en motoren. Avontuur en een lonkende verte waren hem vreemd.

Toen de buren van de overkant in 1933 afscheid namen omdat ze na lang wikken en wegen de stap namen om te emigreren naar Canada, haalde hij zijn schouders op. Voor hij zover kwam dat hij zijn hele boeltje inpakte en hier alles achterliet... Hij begreep zijn buren niet. Wat zochten die lui aan de andere kant van de oceaan? Een betere toekomst? Kom nou, je moest overal hard werken voor een paar schamele centen. Of je dat nou hier deed in de fabriek of daarginds, maakte niet uit. De gebraden duiven vlogen je nergens in de mond. Huib was tevreden met zijn leven, voor zover dat mogelijk was voor een arbeider, zoals hij er meteen achteraan vermeldde.

'Mijn moeder en ik hebben in de oorlog genoeg avontuur meegemaakt voor de rest van ons leven,' zei hij geregeld als hem gevraagd werd of hij nou nooit eens wilde uitkijken naar een andere functie. Dat werk aan de machine in de fabriek was beneden zijn niveau. Hij was zo handig in het herstellen van motoren, radio's en al die moderne zaken die om de haverklap op de markt verschenen. Hoeveel mensen hadden nu verstand, echt verstand van die elektrische apparaten? Wie kon nou echt een fiets repareren?

Ja, de fietsenmaker, maar het was de vraag of hij het zo netjes deed als Huib. Waarom zou hij blijven zitten in dat eenvoudige baantje aan de weefmachine? Hij kwam nooit verder dan dat en het bleef stille armoede, daar kon hij vergif op innemen. En was hij een vent om altijd met de pet onder de arm voor de hoge heren te staan?

Nee, dat was hij niet, maar hij had geen last van die hoge heren, zei hij. Als die nou meenden dat een arbeider zijn pet moest afzetten voor hen, nou, dan zette Huib die pet af. Daar zat hij niet mee.

De fietsenmaker bij het station had hem een jaar of vier geleden eens gepolst of Huib ervoor voelde om bij hem te komen werken. Het loon was weinig beter dan hij al had. Huib schudde het hoofd. Hij wist wat hij had en hij moest maar afwachten wat hij daar kreeg, zei hij toen zijn stiefvader opmerkte dat hij dat werk maar moest aannemen. Hij was dan bezig met zijn hobby en kreeg nog geld toe ook. Zijn hart lag bij dat gepruts in de werkplaats, niet aan de weefmachine van de textielfabriek.

Huib ging niet op de uitnodiging in.

Zijn stiefvader dacht nog dat het lag aan die merkwaardige, bijna nonchalante aard van zijn zoon; dat gemakkelijke, dat ambitieloze was niets voor een echte tukker, vond hij.

Dat was een aantal mensen niet met hem eens, zei zijn vrouw lachend. Een tukker was ook flegmatiek en afwachtend. Wat dat betrof was Huib een echte Twentenaar.

Een halfjaar later overleed de fietsenmaker vrij plotseling en zijn vrouw verkocht het bedrijf zonder enig overleg met anderen. Huibs ouders keken elkaar aan. Had de jongen een vooruitziende blik gehad? Ze hadden zonder meer verwacht dat hij meteen die kans had aangegrepen. Het was immers zijn lust en zijn leven.

Hij had achteraf gelijk gehad door het niet te doen. Stel je voor dat hij die baan had aangepakt. Dan had hij niet terug gekund naar de fabriek. Eenmaal eruit bleef eruit, dat was het motto van de heren van de fabriek.

Maar Huib had geen vooruitziende blik. Hij hield niet van veranderingen, zo eenvoudig was het. Hij was een beetje gemakzuchtig, merkte zijn moeder Hannelore, meestal Hanne genoemd, vaak op. Zelfs zijn manier van lopen zei het al. Rustig aan, dan breekt het lijntje niet.

Hij bewoog zich voort op een rustige, kalme manier alsof hij nooit haast had en toch was hij vaak als eerste aanwezig. Iemand laten wachten kwam niet in hem op. Maar als iemand niet op de afgesproken tijd bij Huib arriveerde, kwam hij ook van een koude kermis thuis. Dan was Huib al verdwenen en liet hij de man ijskoud staan.

Huib was geen echte inwoner van het dorp, vonden de dorpelingen, al woonde hij hier al vanaf zijn jonge jaren. Zijn moeder was dat ook niet. Hij was hier niet geboren. Hij was geboren in België, in een kleine stad ten noorden van Gent.

Zijn spraak was ook anders dan het dialect, dat hij uitstekend verstond maar zelf niet goed sprak. Hij was iets te oud geweest om het dialect van de streek nog zonder moeite op te kunnen pikken in zijn ontwikkeling van kind tot volwassene.

Hij sprak vaak gewoon Nederlands. Hooghaarlemmerdijks, zeiden ze hier. Zijn moeder Hanne sprak met een sterk zuidelijk accent, net als die andere Belg die hier in het dorp was achtergebleven nadat het in 1918 weer vrede werd, Pieter Nijs.

Huib en zijn moeder waren hier gekomen in het begin van de grote oorlog, in 1914, gevlucht uit België. Huib was toen zes jaar oud. Er was nog een zusje geweest, dat was omgekomen bij het oorlogsgeweld. Het was nog geen vier jaar geworden.

Huibs vader was gesneuveld in de loopgraven van Diksmuide in België aan het front in dat oorlogsjaar 1915, zo stond in de kille brief die moeder had ontvangen via haar familie in het verre België.

Hanne Bosschaard bleef met haar zoon in Nederland na de oorlog. Ook toen al die duizenden andere vluchtelingen weer naar huis gingen, hetzij met een toeslag van de Nederlandse overheid al voor het einde van de oorlog, hetzij dat ze gewacht hadden tot het weer vrede was.

Zij had daarginds niets meer te zoeken, zei ze verbeten allang voor het vrede was geworden. Haar huis was er niet meer, haar eigen familie evenmin. Haar ouders waren jong gestorven, lang voor de oorlog. Over verdere familie liet ze niets los en ze wilde weinig of helemaal niet praten over die jaren in België.

Ze had een goed kosthuis gevonden bij de oude vrouw Heetman. In 1916 stierf de oude vrouw. Ze had een lang leven gehad en veel tegenslagen overwonnen, maar een longontsteking werd haar fataal. Hanne kreeg het huis. Vrouw Heetman kon dat rustig doen, ze had geen kinderen die zouden protesteren.

Hanne bleef gewoon haar werk doen: wassen voor anderen en de moestuin bewerken. Huib redde zich wel. Hij was een zelfstandig kind.

Een jaar voor de vrede kwam, kwam er een nieuwe man in Hannes leven. Een wat oudere vrijgezel, die na de dood van zijn ouders alleen kwam te staan en de stap waagde om Hanne een aanzoek te doen. Hij wist dat ze weduwe was en toen hij hoorde dat ze er sterk over dacht om in Nederland te blijven, waagde hij de stap. Een huwelijk zou het voor haar gemakkelijk maken om te kunnen blijven.

Ze zei ja en er werd snel getrouwd. Dat werd nog even een probleem, want Hanne was rooms en Egbert Maatman niet. De dominee kwam even praten, de pastoor ook. Beiden waren bang om een zieltje te verliezen, spotten de buren, maar Hanne maakte een eind aan de discussie. 'We geloven allemaal in dezelfde God,' zei ze kalm. 'Niet in die hoop stenen die de kerk vormt. Ik ga gewoon mee naar de Hervormde kerk. Maria zal mij daar ook wel aanhoren.'

Huib vond alles best, zoals hij later ook alles best vond. Hij ging mee naar de catechisatie, maar wandelde met de kerst ook rustig de roomse kerk binnen om naar de kerststal te gaan kijken, die ingericht was in de zijbeuk van de kerk.

Daar zat Egbert niet mee, zei hij schouderophalend. Dat deed hij als kind ook, al vonden zijn ouders het niet goed.

Hanne en Egbert kregen nog twee kinderen, twee meisjes, met prachtige namen. Dat zou wel Belgisch zijn, dacht de buurvrouw een beetje jaloers. Want haar kinderen heetten Janna en Hendrika en dat klonk toch anders dan Celestine en Liselotte. Het oudste meisje was vernoemd naar het zusje van Huib dat stierf in het oorlogsgeweld in België.

Toen zij geboren werd, kreeg Hanne een vreselijke huilbui, zei Egbert later een beetje aangedaan. De gedachte aan het overleden kindje op een Belgisch kerkhof in een klein stadje werd haar toen te veel. Hanne had stiekem op een zoon gehoopt, maar toen het een meisje werd stond ze erop dat het kind Celestine zou heten. Egbert had daar niets op tegen en plakte er Hendrika achteraan, naar zijn moeder. Dan was die ook vernoemd, zei hij tegen de ambtenaar op het gemeentehuis.

Afkortingen als roepnaam werden niet geaccepteerd door Hanne. Haar eigen naam was afgekort, maar dat gebeurde niet met die van de twee meisjes. En zo klonk bij het eten de roep door het dorp: Celestine, Liselotte, eten! Opmerkelijk naast alle Janna's, Truis en Jenkens.

Het was een goed huwelijk, daar was iedereen het over eens. Egbert was een harde werker en zorgde goed voor zijn gezin. Hij maakte geen onderscheid tussen Huib en zijn eigen meisjes.

Over Huibs vader was niet veel bekend. Er stond een portret van hem in militair uniform op de schoorsteen in de deftige voorkamer waar bijna nooit gehuisd werd. Die foto was vlak voor de oorlog gemaakt, het portret van een man met een strak gezicht, zoals iedereen ernstig keek op een foto.

Hij was gesneuveld in de eerste weken van 1915. Ach, die oorlog had zoveel levens gekost. Honderdduizenden waren omgekomen in de loopgraven in Noord-Frankrijk en België. Je mocht blij zijn dat je Nederlander was en dat het land neutraal was gebleven, ook al was het hier bittere armoede geworden in die jaren.

Huib was inmiddels een volwassen man. Hij was ruim midden twintig en hij had al jaren gewerkt in de textielfabriek. Hij had mogen leren van zijn stiefvader, maar dat wilde hij niet. 'Jongen, doe dat nou, ga nou naar die ambachtschool. Als jij een goed vak leert, heb je altijd werk,' pleitte Egbert, maar het was tegen dovemansoren gezegd. Hannes pleidooi hielp evenmin.

Egbert had nog even tegen zijn vrouw gezegd dat hij zijn ouderlijke macht wilde laten gelden en de jongen toch naar de school zou sturen. 'Ooit zal hij er dankbaar voor zijn,' had hij nog gezegd. Maar hij kende zijn stiefzoon goed genoeg om te weten dat het een mislukking zou worden. Huib had zich iets in het hoofd gezet en daarmee was de discussie voorbij.

Huib ging liever met zijn kameraden de fabriek in. En daar werkte hij alweer vele jaren. Hij was een goede wever en hij mopperde nooit. Zijn baas wist dat als Huib 'nee' zei, het nee was. Niemand kreeg hem dan op andere gedachten. 'Stronteigenwijs,' zeiden zijn collega's weleens. Ze hadden toch geen hekel aan hem. Je kon op die Belg bouwen. En ieder mens had tenslotte zijn eigenaardigheden, werd er dan aan toegevoegd.

Huib was jaren ouder dan zijn halfzusters, die waren nu van die giechelende bakvissen en daar ergerde hij zich weleens aan. Huib hield van rust, overzicht en betrouwbaarheid.

De meisjes waren dol op hun oudere broer en schepten graag op over hem. 'Ik zeg het tegen mijn broer, hoor' was een dreigement dat indruk maakte. Niet dat Huib ooit een stap had gezet om de ruziënde vriendinnetjes van zijn zusjes te achtervolgen. Het zou niet in hem opkomen en dat wisten de zusjes ook wel.

De jaren waren slecht geworden, werkloosheid en armoede grepen om zich heen toen in Amerika de beurzen in elkaar zakten en de banken failliet gingen. Ook in de textielfabriek vielen ontslagen nadat de lonen al een paar keer verlaagd waren zodat de fabriek kon blijven draaien. Huib was een van de weinige jongemannen die nog konden blijven. De een na de ander verdween in de steun: er was geen werk meer.

Vader Egbert en hij waren de enigen van het gezin die nog werk hadden. De beide meisjes waren al ontslagen. Celestine had nog een baantje kunnen vinden voor enkele dagen als hulp bij de dominee en zijn ziekelijke vrouw, maar wat ze daar verdiende mocht geen naam hebben, zei moeder Hanne soms wat bitter. De dominee dacht zeker dat het een eer was om voor hem te werken. 'Blijf vooral uitkijken naar wat anders,' zei Hanne kalm, 'je gaat er weg zo gauw je kunt.'

Huib hoorde dat blijkbaar niet eens. Egbert schudde het hoofd soms: 'Het is net als in dat gedicht: en de boer, hij ploegde voort. En Huib, hij gaat zijn eigen gang.' Hij had zich soms weleens afgevraagd waar de jongen naar aardde. Niet naar Hanne, die was redelijk en nuchter en kon behoorlijk temperamentvol zijn. Waarschijnlijk aardde de jongen naar zijn vader. Van wat hij over Huibs vader had vernomen bleek wel dat Corneel Bosschaard ook niet al te meegaand was en redelijk onverstoorbaar zijn gangetje ging.

Een enkele keer had Egbert zijn vrouw gevraagd of ze niet terug verlangde naar haar oude leven in België.

'Nee,' zei ze dan te kort.

Eigenlijk wist Egbert het ook wel, maar hij wilde blijkbaar zekerheid. 'Je hebt daar toch nog een zuster? Die heb je nooit teruggezien,' zei hij peinzend. 'Je eerste man heeft ook nog familie, nog wel heel wat zelfs.'

'Egbert, mijn zuster is dood, dat weet je. Die rottige oorlog heeft zoveel kapotgemaakt, zoveel wonden geslagen dat ik er niet mee geconfronteerd wil worden. Ik heb hier een nieuw leven opgebouwd, met jou, met de kinderen en dat is me veel meer waard dan mijn oude vaderland. Wat mijn eigen familie betreft: we hingen als los zand aan elkaar, dat krijg je als de ouwelui vroeg sterven. Ik zag mijn zuster voor de oorlog niet zo vaak, ze woonde toen al in Antwerpen. Je weet waarom ik niet aan haar herinnerd wil worden…'

Dat wist Egbert en daarom werd er zelden over gesproken.

Hanne had weleens gezegd: 'Toen ik trouwde was alleen de broer van Corneel, Jean, aanwezig. Onze Jan, zei Corneel altijd, maar ik noemde hem Jean, ik weet niet eens waarom. Hij is de enige die ik nog weleens zou willen ontmoeten. Maar ja, België is niet naast de deur. De reis ernaartoe is duur, zeker in deze jaren, en Jean moet ploeteren om het hoofd boven water te houden op dat kleine gedoetje van hem. De andere broers en zusters van Corneel vergaat het net zo. Wij moeten maar contact houden via brieven en dat doen we ook…'

Daar bleef het bij.

Huib leefde ondertussen zijn eigen leven. Hij had nog geen verkering, al waren er wel jonge vrouwen die ondubbelzinnig lieten blijken dat hij hun interesse had.

'Er moet heel wat gebeuren wil hij in beweging komen voor een vrouw,' verzuchtte Hanne soms tegen haar buurvrouw. 'Ik heb weleens gedacht: Huib is nou echt het type voor een vrijgezel. Als hij zijn schuurtje met gereedschap maar bij de hand heeft.'

'Ach,' dacht de buurvrouw optimistisch. 'Straks komt er eentje langs die hem de kop op hol brengt en dan moet jij eens kijken hoe snel hij voor de dominee staat.'

Hanne glimlachte. 'Ik heb zelfs weleens gedacht dat hij er nou eentje is, die een meisje vanuit de verte bewondert. Maar hij zal niet gauw werk van haar gaan maken. Ik krijg er geen vinger achter, op dat gebied is hij zo gesloten als een pot.' Ze zuchtte. 'Hij heeft de leeftijd anders wel om eens verder te kijken dan dat schuurtje.'

'En hij heeft werk,' stemde de buurvrouw in.

Ze zwegen beiden. Werk was belangrijk in deze jaren. Het ging al jaren slecht in de textiel. De armoede had zijn intrede in veel gezinnen gedaan na de vele ontslagen. Het leven werd schraal, de luxe dingen als een abonnement op de krant of een uitstapje met de trein werden schaars. Het geld kon beter bewaard blijven voor andere zaken. De kranten schreven over de recessie, die wereldwijd toesloeg. Je kon er wel over schrijven, maar je veranderde er niets aan, verzuchtte de buurman soms over de heg als hij met Egbert de politiek stond te bespreken.

Hanne was blij dat Huib nog werk had, net als Egbert. Zij waren bevoorrecht ten opzichte van anderen, waar vaak het loon van de vader of van een van de kinderen het enige inkomen was. En Celestine bracht ook nog wat in, al was het dan weinig.

Ondersteuning na ontslag was er niet bij in zo'n geval. Dat had ook zijn voordelen: je hoefde niet elk uur je papieren te laten afstempelen bij het arbeidsbureau, zoals de vele werklozen moesten doen. De werkverschaffing was lang geen pretje, dat wist iedereen.

'Vooruit,' zei Hanne monter en stond op. 'Wij mogen niet klagen, buurvrouw, al doen we dat graag.'

De ander lachte en stond eveneens op. 'Wees blij dat hij nog thuis is. Voor je het weet zie je hem amper meer. Dat gaat zo vaak met die getrouwde jongens, vooral als ze met een vrouw komen aanzetten die jij niet ziet zitten. Ik weet het, ik kan erover meepraten.'

Hanne knikte. Daar zei de buurvrouw iets. Die kon meepraten over een slechte verstandhouding tussen schoonmoeder en schoondochter. Haar zoon liet zich amper zien sinds hij getrouwd was. Hanne zweeg er maar over. De buurvrouw was niet gemakkelijk, haar schoondochter ook niet. Ze leken op elkaar. Dat beweerden geleerde lieden ook: een jongen trouwde met een duplicaat van zijn moeder, daarom was er zoveel narigheid op dat gebied. Het waren geen van beiden slechte mensen, maar ze verdroegen elkaar niet en daar zat de zoon tussenin. Die koos partij voor zijn vrouw. Hij moest uiteindelijk met haar huizen.

Ze keek de vrouw na. Ik hoop niet dat Huib met een vrouw aankomt die ik niet mag, dacht ze. Dat kan zomaar. Ik ben ook niet de gemakkelijkste, daar heb ik het leven niet naar gehad.

Nou ja, dat zien we dan wel weer.

Een paar huizen verder kwam de brievenbesteller aanlopen. Hanne wachtte tot hij naderbij was. Waarschijnlijk was er niets, er kwam niet zo vaak iets met de postbode. Maar ze was toch elke dag een beetje in afwachting van de man en zeker nu, zo vlak na januari van het jaar 1934.

Eens in de zoveel tijd kwam er een brief uit België van haar zwager Jean. Het was nu alweer een tijd geleden dat hij iets van zich had laten horen en meestal kwam er rond de jaarswisseling een brief. Die beantwoordde ze dan meteen zodat er vaak binnen twee dagen alweer een antwoord terugging naar België.

Ze had Jean niet weer gezien sinds ze in 1914 naar Nederland was gevlucht met de kleine Huib. Na de oorlog had hij een keer aangekondigd dat hij wilde komen, maar hij had het niet gedaan. Waarschijnlijk was de reis te duur voor hem, net als voor haar.

Hij had geschreven dat zijn bedrijf veel schade had opgelopen door de oorlog. Hij moest de opbouw zelf betalen. Er was geen geld en vooral geen tegemoetkoming van de overheid of van wie dan ook. Dat zat er voor de Vlamingen toch niet in, had hij bitter geschreven. En dan mocht hij nog van geluk spreken omdat hij te noordelijk woonde voor het front dat in de Zuidwesthoek van het land was gelegen. Daar was alles verwoest. Er waren hele steden waar geen huis meer overeind stond, zoals de oude stad Ieper.

Hanne had zelf nooit aangekondigd naar België terug te gaan en dat begreep Jean volkomen, al werd er niet over gesproken.

Van de andere broers en zusters hoorde Hanne weinig, ze kreeg alleen een kaart met oud en nieuw. Jean schreef mede namens hen. Ze waren maar eenvoudige boeren, die een hoop energie moesten steken in het schrijven van een nette brief. In de loop der jaren waren een zuster en een zwager overleden.

Van haar eigen familie hoorde Hanne helemaal niets meer. Dat was ook geen wonder. Na de vroege dood van de ouders werden de kinderen 'verdeeld' over diverse adressen. Ze hadden beter in een weeshuis terecht kunnen komen, had Hanne weleens gedacht, misschien was het dan allemaal anders verlopen. Dan had je elkaar nog gehad. Van haar broer had ze al in geen jaren iets vernomen. Ze wist niet of hij nog leefde. Hij had het front in Diksmuide overleefd, maar wat er daarna gebeurd was, wist ze niet.

Hanne zag de familie van Corneel als de hare en de laatste jaren kende ze een nieuw soort angst. Telkens als er een brief kwam, was ze een beetje bang dat erin zou staan dat er weer een van die weinige familieleden van Corneel in België was overleden. Ze werden allemaal zo langzamerhand ouder en niet iedereen haalde de tachtig jaar. Gelukkig was zo'n bericht niet meer gekomen na het overlijden van Corneels broer en zuster.

De postbode zwaaide al toen hij nog bij de buren voor de deur stond. 'Ik heb een brief van je zwager,' riep hij jolig.

Hanne voelde zich enigszins verstarren. Ze was blij en ze was bang, dat was altijd zo. Wat zou Jean schrijven? Was er iets gebeurd in het verre België dat haar diep zou raken? Daar was eigenlijk weinig voor nodig. Het verleden was niet ver weg, die hele oorlog speelde haar nog volop parten.

De kinderen, en in het bijzonder Huib, wisten van niets en dat moest zo blijven, hadden zij en Egbert lang geleden besloten. De kinderen hadden ook geen idee van de Belgische familie en haar perikelen. Ze kenden alleen de naam van oom Jean en zijn vrouw Anna. Een boerengezin dat hard ploeterde om het hoofd boven water te houden en het waarschijnlijk een stuk slechter had dan zij in Nederland.

Ze wisten dat er drie kinderen waren in het gezin, drie neven. De oudste was al getrouwd, de tweede was vertrokken uit de omgeving en woonde in Ieper, de herbouwde stad in het zuiden, de derde was in dienst, hij was in het leger in de Congo. Dat lag in Afrika, ze hadden het opgezocht in een oude schoolatlas.

De brievenbesteller kwam het tuinpad op lopen en overreikte Hanne een brief met een vreemde zegel. 'Mooie zegel,' zei hij ongegeneerd. Hij verzamelde postzegels en kreeg ze ook vaak van Hanne.

Ze knikte met een strak gezicht. De envelop was dikker dan normaal, er scheen iets bij in te zitten. Er zaten ook twee zegels op in plaats van een. 'Morgen krijg je de zegels,' beloofde ze.

De man liep alweer verder. Hij had nog een tas vol post te bezorgen en Hanne liep langzaam naar binnen en sloot de deur voorzichtig achter zich.

Haar hart bonkte, zoals altijd als er een brief uit België kwam. Onrust, angst en pijn woelden door haar heen. Nee, de oorlog was niet voorbij, dacht ze. Die ging nooit voorbij. Daarvoor was er te veel gebeurd in het verleden. Te veel verdriet, te veel pijn, te veel wonden en te veel haat.

2

Toen Huib tussen de middag snel even thuiskwam om te eten, viel hem meteen op dat er iets was voorgevallen. Moeder was ongewoon druk voor haar doen en opgewekter dan normaal. Ze was altijd te rustig, bijna neerslachtig, maar nu straalde de monterheid van haar af.

Vader was zoals hij altijd was, rustig en nadenkend, maar ook hij fronste even de wenkbrauwen.

'Goed nieuws uit België?' vroeg hij met een blik op de envelop met de vreemde postzegels naast het radiotoestel op het kleine kastje. Hanne knikte zonder te antwoorden en schepte het eten op.

De beide zusters keken haar vragend aan. Ze hadden de drukke manier van doen van hun moeder ook al gemerkt, maar vroegen niets. Ze kenden het gedrag van hun moeder; ze had vaker last van stemmingen. Van heel stil tot een woede-uitbarsting en daarna was ze meestal dagenlang weer heel rustig. 'Dan zijn de toppen weer even onder water,' zei Huib soms.

'Is er iets bijzonders gebeurd in België, moeder?' vroeg Huib langzaam. Hij zou nooit, zoals de meisjes, 'moe' zeggen.

'Nee, nee, wat gebeurt daar nu?' vroeg ze meteen geagiteerd.

'Kon toch,' mompelde hij en hij ging op zijn vaste plaats aan de keukentafel zitten. Het leek voor hem al afgedaan. Moeder zei dat er niets was, dus spendeerde hij er verder geen gedachten aan.

Egbert keek over de tafel naar zijn vrouw. Nee, er was wel iets gebeurd, dacht hij. Dit was niet Hannes normale manier van doen. Maar hij zou het nog wel horen, er was tussen de middag weinig of geen tijd om een uitvoerig gesprek te houden. Er stond iets belangrijks in die brief uit België, dat was zeker.

Hanne keek niet verdrietig. Slecht nieuws was het dus niet

geweest. Hanne was weleens in een depressieve bui geraakt na een brief uit België. Dat had hij ook al meegemaakt. Dan was ze geïrriteerd, kortaf en soms ronduit niet te genieten.

De meisjes stonden meteen na het eten weer op. Ze wilden weg. De oudste moest naar de dominee, die bij wijze van spreken met het horloge in de hand stond te wachten of ze wel op tijd kwam. De tweede wilde achter een baan aan, die in een advertentie werd aangeboden. Ze had het net gisteravond gelezen in de krant. Kandidaten konden zich om een uur 's middags melden voor een sollicitatie. Ze wilde graag de eerste zijn. Ze zou beslist de enige niet zijn.

Huib had iets minder haast. Hij had nog tijd voor de harde fluit, die de arbeiders naar de fabriek riep, over het dorp gilde. Hij keek nog even in de schuur en zag door het raam heen zijn ouwelui praten. Het ging vast over die brief uit België. Hij kreeg de neiging te zuchten. Hopelijk trekt het snel weer bij, dacht hij berustend.

Hij zag zijn moeder de brief pakken en iets uit de envelop trekken. Het was geen briefpapier, het leek meer een uit de krant geknipt artikel. Vader knikte, pakte het aan en las het. Toen glimlachte hij en gaf het papiertje terug. Zijn moeder lachte breeduit. Het was zeker geen slecht nieuws.

Vader zette de pet op en liep naar de deur. Hij moest weer naar de fabriek. Vooruit, Huib, jij moet er ook weer naartoc. Moeder zal het vanavond wel vertellen. Het is in ieder geval niet iets om je zorgen over te maken. Ze lacht en dat is een goed teken.

Er werd niet gesproken over de bewuste brief toen Huib 's avonds bij de tafel zat en naar de radio luisterde. De nieuwsberichten werden voorgelezen. Narigheid alom, dacht hij vaak. Nu ging het over de Nederlander die in Duitsland was opgepakt voor het in brand steken van de Rijksdag. Ze hadden hem bij een proces, dat van september tot december duurde, al ter dood veroordeeld. Vanmorgen was het vonnis voltrokken door middel van onthoofding, meldde de nieuwslezer.

'Ze hebben een onschuldige onthoofd,' zei Egbert grimmig. Hij had vele avonden met het oor strak aan de radio gezeten toen het proces nog liep. Het had soms geleken alsof de man maar wat brabbelde en niet eens goed bij zijn verstand was. 'Ze hebben hem iets gegeven zodat hij niets zinnigs meer kan zeggen,' had Egbert vaak gezegd als er bericht werd over de gang bij het proces.

Het werd even stil in de keuken bij het horen van het bericht. 'Dat regime in Duitsland deugt niet,' zei hij nogmaals grimmig. 'Ik ben niet de enige die er zo over denkt.'

Maar velen dachten er anders over, besefte Huib. Heel veel mensen, zelfs hier in hun eigen dorp, vonden dat Hitler de zaken in Duitsland goed aanpakte. Het ging daar een stuk beter met de economie dan in Nederland. In Duitsland werd volop gewerkt, daar werden banen geschapen. De grote werkloosheid in het land werd degelijk aangepakt door grote projecten aan te vangen: autobanen aanleggen, grote fabrieken draaiden volop en de eerste tekenen dat er resultaten werden geboekt waren er al. De werkloosheid liep snel terug.

'Wat voor fabrieken draaien volop?' wilde Egbert weten. 'Als het maar geen wapenfabrieken zijn. Ze staan daar te vaak in het gelid in dure uniformen. Die Hitler loopt ook rond als een trotse haan en altijd in zo'n duur pak met de nodige ordetekens. Dat is geen goed teken.'

Ja, dat kon wel waar zijn, maar in Nederland werd het nog veel gekker, zeiden sombere stemmen. Er kwam nog veel meer werkloosheid dan er al was. Of Colijn nou de juiste man op de juiste plaats was, betwijfelden velen. Hij hield vast aan een gouden standaard: de harde gulden moest op peil blijven.

De export liep steeds meer terug door die peperdure gulden en het land moest het hebben van de export. Colijn wilde bezuinigen en dat deed hij overal op.

De oppositie was kansloos, ook die nieuwe partij van ingenieur Mussert. Die was het afgelopen jaar sensationeel hard gegroeid. Volgend jaar waren er verkiezingen; dan konden er weleens grote verschuivingen komen in de politieke verhoudingen. Die man had goede ideeën over de economie en de werkgelegenheid. Hij had gelijk: je hoefde alleen maar naar de magazijnen in de fabriek te kijken en dan wist je genoeg. Er moest echt iets gebeuren, anders kwamen er nog meer ontslagen en dan kon de fabriek nog weleens helemaal stil komen te staan, zoals overal in Twente dreigde.

'Dat regime van Hitler houdt geen stand,' zei moeder Hanne ineens. 'Dat duurt geen duizend jaar, zoals ze beweren. Dat duurt nog geen honderd jaar. Hij schuift iedereen aan de kant en lapt de wetten aan zijn laars. Hij heeft het parlement al naar huis gestuurd.'

Egbert was het niet met haar eens, zag ze. 'Dat soort regeringen houdt het lang vol en die Hitler doet veel aan de werkverschaffing. Daar zijn de meeste mensen gevoelig voor. Het is nog altijd de maag die vooropstaat, niet de geest en de moraal. Eerst eten, dan de rest. En dat parlement van Duitsland, dat was al jaren niks. Het was een rommeltje in die Weimarrepubliek voor Hitler rijkskanselier werd. Nee, die man zit voor de eerste jaren goed vast in het zadel en ik houd mijn hart vast voor dat militaire gedoe.'

'Er bestaat nog iets als gerechtigheid in de wereld,' zei ze.

Daar was Huib niet van overtuigd. Nederland was verontwaardigd genoeg over die voltrokken doodstraf in Duitsland. Het zou niets helpen, dat wist iedereen. Grote woorden en geen daden. Dat was de regering tegenwoordig.

Hij hoorde ineens België noemen vanuit de radio. Hij keek op. Zijn oren spitsten zich altijd als hij België hoorde noemen. Huib had weliswaar de Nederlandse nationaliteit gekregen toen zijn moeder hertrouwde, maar België was voor hem nog steeds een speciaal land, zijn geboorteland. Niet dat hij er ooit was geweest of er zelfs maar over piekerde om erheen te gaan, maar toch. België was niet zomaar een stuk 'buitenland'.

De stem uit de radio deelde mee dat een staatsbegrafenis had plaatsgevonden in Brussel waarbij zelfs de koning aanwezig was geweest. De laatste dagen was België vaker genoemd. Er was een moord gepleegd op een prominent figuur in dat land. Een kolonel uit een gegoede Belgische familie, die zijn sporen had verdiend in de oorlog. Hij was opgevallen door zijn moed in diverse veldslagen aan het front in Zuidwest-België, zoals steevast bij elke berichtgeving werd vermeld. Het Franse deel van België was in rouw gedompeld, werd erbij gezegd.

Over de Vlaamse bevolking werd niet gesproken, die hoorde er niet bij, zei moeder Hanne bitter. Die hoorde er nooit bij, die was er om te werken voor die Walen.

De politie had de man op oudejaarsavond aangetroffen in zijn grote landhuis in de Ardennen, zei de omroeper. Zijn vrouw was enige jaren geleden overleden en hij woonde alleen met een stoet personeel. Zijn kinderen waren met vakantie in het buitenland. Het personeel was maar mondjesmaat aanwezig geweest. Het was immers oudejaarsavond. Men dacht aan een roofoverval. De bandieten zouden via een geforceerd raam zijn binnengekomen. Ze hadden echter weinig buit gemaakt, zelfs een sieradendoos vol kostbare juwelen lag gewoon op het bureau. De daders zouden gestoord zijn tijdens de overval, was de algemene gedachte. De oorlogsheld was koelbloedig doodgeschoten, dat wel. Hij was aangetroffen achter zijn bureau in een plas bloed.

Op Nieuwjaarsdag had de radio er ook al melding van gemaakt. Hanne en Egbert waren toen bij de buren op visite vanwege het nieuwe jaar. Huib had het niet eens verteld toen ze weer thuiskwamen. Enerzijds omdat hij het alweer vergeten was, anderzijds omdat moeder soms zo fel kon reageren als het over de oorlog ging. Die oorlog betekende nog steeds de dood van zijn vader en zijn kleine zus.

Zo'n vermoorde kolonel was ver van zijn bed. Hij had er uiteindelijk niets mee uit te staan. Maar nu spitste hij toch de oren. Hadden ze de daders opgepakt? Er zou zonder meer een klopjacht op hen zijn gehouden, ze behoorden tot de meest gezochte misdadigers van het land. Nee, er werd melding gemaakt dat er nog geen spoor van de daders was gevonden. Dus vandaag was de kolonel begraven. Een staatsbegrafenis nog wel, waarbij zelfs de koning acte de présence had gegeven.

Huib had zich alweer afgewend. Tja, een militair als deze man stierf niet op het slagveld, dat was voorbehouden aan gewone soldaten. De man zou ongetwijfeld dapper zijn geweest in zijn bunker ver weg van het front, dacht hij cynisch. Doodgeschoten bij een roofoverval, maar bij zo'n man was meer te halen dan bij een arbeider, zouden de daders hebben gedacht. Natuurlijk waren het bandieten, die opgepakt moesten worden.

Een jaar of tien geleden, Huib was toen een jaar of vijftien, was er in deze omgeving een man vermoord. Hij kwam terug van de notaris en volgens de geruchten had hij meer dan duizend gulden op zak. Dat scheen de dader te hebben geweten. Tweehonderd meter van zijn huis was de man neergeslagen en het geld bleek verdwenen. De dader was nooit gepakt. Er gingen geruchten dat het een familielid was geweest, dat de man had opgewacht. Een vreemdeling wist niet dat hij zoveel geld bij zich had.

De krant schreef later dat het onverantwoord was om met zoveel geld op zak langs de straat te gaan. Het leek een beetje alsof de man zelf schuld had aan zijn dood. Was het niet ook onverantwoord van die kolonel om zijn rijkdom te etaleren met zo'n duur huis en een stoet personeel?

Huib keek op en zag zijn moeder met samengeknepen lippen staan bij het fornuis met de koffiekan in de hand. Zij had ook de radio gehoord. Hij had haar zelden zo bleek gezien.

'Moeder, voel je je niet goed?' vroeg hij meteen.

'Ik voel me prima, jongen, beter dan in een lange tijd. Maak je over mij geen zorgen.' Het klonk bijna agressief.

Egbert stond op en zette zijn vrouw neer op een stoel. Hij nam de koffiekan en schoof hem terug op het fornuis. 'Even kalmpjes, vrouw,' zei hij enkel en schoof een stoel bij.

Ze zuchtte diep en keek toen op. Een glimlach, die niets vriendelijks had, plooide om haar mond. 'Er is nog gerechtigheid op de wereld. Gelukkig dat ze die kerel hebben afgeschoten. Hij verdiende niets beters. Ik hoop dat ze de daders nooit zullen vinden. Die verdienen een medaille; dat meen ik uit de grond van mijn hart.' Het klonk hartstochtelijk, zo had Huib zijn moeder nog zelden gehoord.

Hij staarde haar verbaasd aan. 'Wat zeg je me nou, moeder? Ken jij die man soms?'

'Nee, die ken ik niet, maar ik heb wel van hem gehoord. Een dappere vent? Laat me niet lachen. Het is een moordenaar, niks meer en niets minder. Hij heeft honderden jonge mannen willens en wetens de dood in gejaagd door zijn optreden. De soldaten waren bij hem geen mensen, ze waren letterlijk kanonnenvlees, vooral de Vlaamse jongens...'

Huib knikte en dacht aan zijn vader, Corneel. Een van die vele jonge mannen, die ook de dood in werden gejaagd op het slagveld. Kanonnenvlees. Hij begreep de woede van zijn moeder. Haar leven als jonge echtgenote en moeder ging ondersteboven, ze bleef alleen achter met een kind, zonder inkomsten, zonder vooruitzichten, zoals duizenden jonge vrouwen achterbleven. Ze vluchtte weg van haar familie naar een vreemd land met achterlating van een gedood kind en een verwoest huis. Dat was ook genoeg om een diepe haat te hebben tegen het soort man dat besliste over leven en dood. Door hen ontstonden de oorlogen. Zij begonnen over eer en lieten onschuldigen met hun leven betalen voor diezelfde eer.

Een hele generatie jongemannen was omgekomen aan de fronten in België en Frankrijk in die grote oorlog, dat had Huib meer dan eens gehoord en gelezen. 'Nooit meer oorlog', was een leuze die vaak genoeg werd gehoord.

Een bittere oud-soldaat had eens voor de radio verklaard dat er een stukje land was in Noord-Frankrijk waar hij in drie minuten overheen kon lopen. In de oorlog hadden hij en zijn kameraden er drie maanden over gedaan, maar de meesten hadden nooit de overkant bereikt en waren onderweg achter gebleven. Zinloze aanvallen voor een paar meters landwinst, uitgedacht en opgedragen door zich belangrijk voelende mannen ver weg in veilige bunkers.

Deze kolonel was een van die vele officieren uit die tijd. Zij waren nooit voor de krijgsraad gedaagd. De weduwen van de gesneuvelde soldaten bleven met lege handen achter, maar deze lieden kregen onderscheiding na onderscheiding en een deftig pensioen.

Dat kon je nu weer zien: de man kreeg een staatsbegrafenis. Zelfs de koning verscheen op zijn begrafenis. Ze moesten eens omzien naar al die graven op die dodenakkers bij de slagvelden, naar al die duizenden jongelui, die voor eeuwig vermist waren geraakt in die verwoeste gebieden van België en Noord-Frankrijk.

Maar ja, zo was het leven. Zo zat een mens in elkaar: oorlog was een spel. Een mensenleven telde niet. Het was goed dat Huib nu in een land woonde dat de neutraliteit hoog in het vaandel had, dacht hij meer dan eens.

Twee avonden later pakte hij eindelijk de brief, die nog steeds naast de radio lag. Normaal las hij de brieven niet. Moeder vertelde wat oom Jean schreef en dan vond Huib het goed. Hij kende de oom niet, hij had hem zelfs nog nooit gezien.

Vader was naar de wekelijkse avond van de fanfare, waar hij trompet speelde, en moeder was even naar de buurvrouw gelopen. Dat deed ze wel vaker. Naast hen woonde een oude, alleenstaande vrouw, die zich met moeite kon redden. Moeder Hanne waste voor haar en haalde soms boodschappen. Ook de andere buurvrouwen bemoeiden zich met de verzorging zodat de vrouw in haar eigen huis kon blijven wonen. Anders zou ze misschien ergens in een stad in een soort oudevrouwentehuis terechtkomen.

De buurvrouw was gevallen, had Hanne vernomen. Niet ernstig, alleen de pols verstuikt. Nou, ze was er goed afgekomen, zei iedereen. Voor hetzelfde geld had ze de heup of een been gebroken. Er werd even wat extra aandacht besteed aan de huishouding. Met een paar weken zou het niet meer nodig zijn.

De meisjes waren naar de meisjesvereniging getogen. Liselotte was in een beste stemming, ze had het baantje gekregen bij de kruidenier en had weer werk. Iedereen was er blij om in huis. Als Celestine nou ook nog een keer wat beters vond dan dat geploeter bij de dominee, was iedereen meer dan tevreden, zelfs dankbaar.

Huib zat zwijgend bij het fornuis. Het was koud zo midden januari, het vroor flink en de bloemen begonnen al op de ramen te tekenen. Vlak bij het fornuis was het aangenaam, maar als je aan de andere kant van de keuken bij het raam zat, kon je de rillingen over je armen voelen kruipen. Hij zou straks de luiken aan de buitenkant sluiten. Daar waren ze niet zo vlot mee bij de familie. Hanne vond die gesloten vensters onvriendelijk lijken, net alsof er niemand meer welkom was. Ze gingen pas dicht tegen negen uur, als de familie aanstalten maakte om naar bed te gaan, ook in de winterdag.

Huib had zich een mok koffie ingeschonken en stond nog even op. De radio had misschien nog een muziekprogramma of een interessant onderwerp.

Terwijl hij naar de knop tastte, zag hij de brief liggen. Er stak een stukje krant uit. Toch een beetje nieuwsgierig pakte hij de brief op en trok het uitgeknipte artikeltje tevoorschijn.

De brief rolde op de grond en Huib bukte zich om hem op te rapen. Het artikeltje ging over de moord op de kolonel, die een paar dagen geleden nog met alle honneurs begraven was. Een artikel uit een Vlaamse krant, dacht Huib. Had de oom dat gestuurd?

De toonzetting was heel anders dan de mededeling via de radio, veel feller en vijandiger. Er werd niet gerept over een groot militair waar het land veel aan te danken had en die lafhartig om het leven was gebracht door een stel misdadigers. De man was in Vlaanderen zeer omstreden, las hij tot zijn verwondering. Er was veel kritiek op hem geweest door zijn optreden in de oorlog. Hij had vooral Vlaamse soldaten de frontlinie in gestuurd en hen bewust en moedwillig opgeofferd. Een man die na de oorlog voor de krijgsraad had moeten verschijnen, schreef de krant. Hij had zelfs de doodstraf moeten krijgen, maar dat zou nooit gebeurd zijn.

Precies wat moeder over hem zei, dacht Huib verwonderd.

Na de oorlog was de man op non-actief gesteld, schreef de krant. Uiteraard met een dik pensioen en een deftige onderscheiding. Hij gold als een persoonlijke vriend van de koning. Er was al in 1919 gepleit om een diepgaand onderzoek in te stellen naar de handel en wandel van deze man. Maar dat gebeurde niet, dan zou er te veel boven komen drijven, meesmuilde de krant. Misschien zouden ze dat nu alsnog moeten doen, al was het jaren na de oorlog. Anders zou de geschiedenis ooit oordelen over deze man en over België.

De schrijver geloofde niet dat er sprake was van een roofoverval. Er was immers niets gestolen. De man had vijanden en niet weinige ook.

Huib slikte even. Stond er werkelijk wat hij dacht dat er gesuggereerd werd? Was de kolonel vijftien jaar na de oorlog vermoord vanwege zijn optreden en gedrag in die oorlogsjaren? Ben je gek, man, dan hadden ze het wel eerder gedaan.

Hij pakte de geschreven brief van oom Jean. Geliefde schoonzuster, stond erboven. Dat stond er altijd boven. Het ging goed daarginds in België, hard werken, weinig geld, maar goed gezond en nog voldoende te eten en daar dienden ze dankbaar voor te zijn. Toen begon hij over de moord op de kolonel. Met vreugde hadden ze het vernomen, schreef hij. Eindelijk gerechtigheid, zei moeder ook al. Oom Jean dacht er net zo over. Corneel is eindelijk gewroken, schreef de Belgische oom.

Huib legde de brief neer. Zat het allemaal nog zo diep na al die jaren? Vader was gesneuveld, hij was bij lange na de enige niet die dat was overkomen. Waarom waren ze zo woedend op deze vermoorde man dat ze spraken over gerechtigheid, die eindelijk plaats had gevonden?

Vreemd, dacht Huib, in een oorlog sneuvelen soldaten, daar is het oorlog voor. Een paar jaar geleden was een jongeman uit het dorp omgekomen in Indië. Hij had getekend bij het KNIL. Het was een beetje een avonturier die graag wat van de wereld wilde zien. Een leven lang achter de machines in de textielfabriek was niets voor hem, had hij altijd verklaard. Toen hij ook nog slecht begon op te passen, was iedereen, vooral zijn ouwelui, opgelucht dat hij naar Indië vertrok.

Nog niet eens lang daarna sneuvelde hij op Atjeh. Hij was daarginds begraven. Natuurlijk waren zijn ouders verdrietig, maar ze accepteerden dat hij was omgekomen in de Oost. Er werd wel over hem gesproken, maar niet met de hartstocht en de haat die uit de brief sprak en die moeder tentoonspreidde.

Hij kon moeder er niet op aanspreken, dacht hij. Ze kapte alle gesprekken af. Vader Egbert beduidde hem steeds te zwijgen. Laat het maar betijen, jongen, dat is beter voor iedereen.

Nadenkend vouwde hij de brief weer netjes in elkaar en stak hem in de envelop. Hij had veel om over na te denken.

3

Huib Bosschaars liep de volgende dag, een zaterdag, met twee van zijn kameraden vroeg in de avond naar de kern van het dorp. Dat deden ze bijna elke zaterdagavond. De winkelstraat was de ontmoetingsplaats voor de jongelui en er waren door de jaren heen al veel huwelijken voortgekomen uit de gang naar die plek waar men bij elkaar stond te praten, te lachen en te flirten. Het werd ook niet voor niets de huwelijksmarkt genoemd.

Huib kwam er vaak, maar hij had op die plaats nog niemand ontmoet die hij nader zou willen leren kennen. Er waren aardige meisjes genoeg. Misschien was Huib te traag dan wel te nonchalant, maar het bleef bij kletsen over allerhande onderwerpen. Voetbal, politiek, dorpszaken.

Zijn beide vrienden gingen weleens stappen met een paar meisjes, Huib wandelde dan rustig en kalmpjes naar huis terug. Zijn ouwelui waren niet anders gewend dan dat Huib tegen negen uur weer de deur binnenstapte op zaterdagavond. Dan had hij alweer genoeg van het uitgaansleven voor een hele week. Soms hoopten ze dat hij wat langer wegbleef. Er waren toch leuke, jonge vrouwen genoeg, die op zaterdagavond ook op straat liepen, maar een vorm van verkering leek niet te lukken voor die halve Belg, zoals zijn maten hem vriendelijk plagend noemden. 'Die zoekt iemand die er niet is,' zeiden ze grinnikend. 'Mooi en schatrijk.'

Deze avond was hij stil, nog stiller dan normaal. Het viel zelfs zijn beste vriend Jaap Thijssen op. 'Is er iets, man?' wilde hij weten. 'Ik weet wel dat je geen prater bent, maar nou zeg je helemaal niets.'

'Nee, wat zou er moeten zijn?' zei hij met een wedervraag.

Ze zwegen. Huib was niet mededeelzaam als het ging om persoonlijke zaken. Dat wisten ze al jarenlang.

'Ik hoorde dat er weer wordt gesproken over ontslagen,' mompelde Jaap. 'Als het waar is, konden wij de klos weleens zijn.'

'Ja,' knikte Wolter ten Have. 'Daar kon je weleens gelijk in hebben.' Hij werkte in het magazijn en hij wist hoe vol dat lag met goederen, het was tot aan de nok toe gevuld. Ze werkten alle drie in de fabriek, een aan de spinmachine, Huib aan de weefmachine, de ander in het magazijn.

Huib zweeg. Hij kon zich niet druk over maken over ontslagen. Komt tijd, komt raad, zei hij meer dan eens.

Deze keer had hij de opmerking simpelweg niet gehoord. Hij had zijn gedachten ergens anders. Vanmiddag, na het werk dat eindigde om twee uur, was hij naar een oudere kennis in het dorp gelopen. Pieter Nijs was ook een Belg, die hier gebleven was toen de oorlog in 1918 eindigde. In het dorp had een aantal vluchtelingen gewoond in de oude school die niet meer gebruikt werd sinds er een nieuw gebouw was verrezen naast het oude.

Al die vluchtelingen, die gedurende een aantal jaren in hun dorp hadden gewoond, waren teruggegaan naar hun vaderland, maar Pieter Nijs, zestien jaar geleden een jonge vent, was achtergebleven, net als moeder Hanne. Hardnekkige geruchten zeiden dat hij in 1914 gedeserteerd was uit het Belgische leger en dat als hij terugging naar zijn vaderland ze hem zouden oppakken, met alle gevolgen van dien.

Pieter was jaren geleden getrouwd met een meisje uit het dorp en hij leek tevreden te zijn met zijn gezin en het leven in Nederland. Hij was inmiddels ploegbaas in de fabriek en hij stond in aanzien bij het werkvolk. Het was een aardige vent, vonden zijn buren en zijn medewerkers.

Pieter ontving Huib vriendelijk. Zijn vrouw schonk koffie in en ging toen de boodschappen halen. Huib was er wel blij om. Kerels onder elkaar, dat was toch een ander onderhoud dan dat er een vrouw bij zat die meepraatte over oorlog en andere zaken. Vrouwen dachten anders over oorlog en vrede.

'Ik begrijp waar jij voor komt. De oorlog, het front, de loopgraven…' knikte Pieter rustig toen hij zag dat Huib de Belgische krant voor zich op tafel legde.

'Min of meer,' knikte Huib. 'Je hebt gehoord van die

moord in België? Die kolonel, die ze overhoop geschoten hebben?'

Pieter knikte zwijgend. Ja, hij had erover gehoord en hij had die zaak met meer dan gewone aandacht gevolgd. Dat had Huib natuurlijk ook gedaan, veronderstelde hij.

Huib zweeg maar. Hij had die moord in eerste instantie min of meer ter kennisgeving aangenomen, maar sinds moeder Hanne die opmerking over gerechtigheid maakte, was zijn belangstelling gewekt.

'Kolonel Vanderheijden,' zei Nijs plechtig. 'Een Vlaming, die geen woord Vlaams wilde praten, alleen maar Frans, een echte snob. Dat soort volk noemden wij Franskiljons. Er zijn er wel meer van in Vlaanderen. Voor dat soort volk is Vlaams veel te min.'

'Was het wel een roofmoord?' vroeg Huib dringend.

Pieter staarde hem aan en haalde de schouders op. 'Het kan, alles is mogelijk. Maar ik geloof het niet. Deze kolonel Vanderheijden is vaker bedreigd met de dood.'

'Vaker?'

Nijs knikte. 'Hij stond niet in aanzien bij de Vlamingen, verre van. Zelfs de Walen hadden de nodige twijfel over deze man. Hij was bepaald geen briljant strateeg gedurende de oorlog, dat konden zelfs zij niet ontkennen, al zouden ze het graag doen.'

Huib tikte op de krant. 'Ik heb een stukje gelezen over die moord. Deze krant lijkt wel een hetze te voeren tegen die Vanderheijden. Zij beweert dat hij duizenden soldaten onnodig de dood in heeft gejaagd.'

'Jongen, daar maakten die officieren in de grote oorlog zich allemaal schuldig aan. Of het nou de Franse, de Duitse, de Engelse of de Belgische bevelhebbers waren. Zij zaten veilig in hun bunkers en bedisselden daar over de strijd alsof het een spelletje schaak was. Hoeveel levens dat onder de gewone soldaten kostte, interesseerde hen niet. In Frankrijk hebben ze na de oorlog nog enige moeite gedaan om die kerels voor de krijgsraad te dagen wegens incompetentie,

31

maar dat lukte niet. Te veel vriendjes op hoge plaatsen. Ons kent ons, zie je. Dat was met deze knakker niet anders.'

'Hadden de manschappen in de loopgraven, naast het feit dat hij een Franstalige Vlaming was, ook een hekel aan de vent?'

'Iedere Vlaming aan het front had een hekel aan al die superieuren. Het waren allemaal Walen en ze blaften iedereen aan in het Frans. Wij gewone jongens verstonden hen soms niet eens, de meeste van ons hadden amper de lagere school doorlopen. De Vlaamse soldaten werden vernederd en achteruitgezet, alleen aan het front mochten ze vooraan staan. Deze officieren zorgden wel dat ze uit de vuurlinie bleven. Wij mochten creperen in die natte loopgraven en als we niet doodgeschoten werden, gingen we wel dood van allerhande rottige ziektes, en dan praat ik nog niet eens over die gasaanvallen. Zij sneuvelden niet, ze lieten zich niet zien aan het front als het erom ging spannen. Alleen als er niet gevochten werd kwamen ze inspecteren, in dure uniformen met hoge onderscheidingen en gepoetste laarzen en vooral met een opgetrokken neus.'

Huib vroeg niet eens verder. Hij wist al genoeg. Zijn vader was ook een gewone korporaal geweest, die in de loopgraven lag.

'Vanderheijden was een rijkeluiszoon, een zoon van een of andere plattelandsbaron uit Belgisch Limburg. Hij heeft nog nooit een handvol werk verzet, hij deed voor de oorlog niet veel meer dan paardrijden op het landgoed van zijn vader. Hij kreeg een militaire opleiding omdat hij de tweede zoon was; voor iets anders deugde hij niet en zelfs daarvoor was hij niet geschikt. Ik heb gelukkig nooit met hem van doen gehad, al was hij een van de bevelhebbers van de divisie. Er stonden te veel rangen tussen een gewone soldaat en die vent om persoonlijk last met hem te hebben.'

Pieter Nijs was stellig in zijn mening. Hij was niet ondersteboven van het Belgische leger en zijn generale staf. 'Een kennis van me kende hem van huis uit, ze kwamen uit dezelfde streek, al was hij maar een boerenlummel en geen land-jonker zoals de kolonel,' vertelde Pieter. 'Vandaar dat ik het weet. Vanderheijden was een incompetente vent met goede connecties, dankzij zijn vader. Daardoor is hij ook kolonel geworden. Hij kende de koninklijke familie persoonlijk en kwam over de vloer bij die mensen.'

Huib knikte. Natuurlijk had dat soort mensen connecties op het hoogste niveau, anders werden ze nooit lid van de generale staf.

'Nou, ik zal er niet om huilen dat hij vermoord is en ik denk dat het merendeel van het Vlaamse volk de schouders heeft opgehaald,' verkondigde Pieter.

'Mijn moeder zei dat er nog gerechtigheid bestond, toen ze het vernam.'

Pieter grijnsde. 'Ze zal de enige niet zijn die dat zegt.'

'Wisten ze dat hij niet bekwaam was voor de legertop?'

De ander knikte. 'Ja, natuurlijk wisten ze dat. Het interes-seerde niemand. Dat soort jongens moet een aardig baantje hebben in het leger zonder risico in oorlogstijd. En wat is nou soldatenvolk? Die kun je rustig laten doodschieten, dat zijn toch geen mensen...'

'Je klinkt cynisch,' zei Huib langzaam.

De oudere man keek hem een ogenblik zwijgend aan. 'Nee, jongen, als ik cynisch was, zou ik nog enige hoop heb-ben op een andere waarheid. Maar voor Vanderheijden en consorten waren wij, gewone soldaten, letterlijk speelgoed dat je zonder gewetensbezwaren in kon ruilen voor ander speelgoed. Er was genoeg van dat spul voorradig. Je hoef-de de resten alleen maar in de grond te stoppen en die plek een erebegraafplaats noemen, voor zover er nog resten waren.'

'En nou is hij zelf de grond in gegaan.'

Pieter Nijs glimlachte wrang. 'Met de hoogste militaire eer en de koning achter de baar. Ik hoop dat ze de daders nooit zullen vinden en dat meen ik oprecht.'

Dat zei mijn moeder ook al, dacht hij toen hij met zijn kameraden het centrum van het dorp bereikte. De daders verdienen een medaille, vond zij.

Als de daders gewone rovers zijn, dan verdienen ze het niet, piekerde hij. Wat zouden het anders zijn dan gewone rovers? Zoveel jaar na de oorlog joeg je toch niet meer achter een gepensioneerde onbenul van een kolonel aan? Dan hadden ze hem al veel eerder doodgeschoten.

'Alla, jongen, dat gepieker doe je morgen maar, daar is de zondag geknipt voor. Vanavond hebben we even wat anders aan het hoofd,' lachte Jaap en hij stootte hem aan.

Huib grinnikte en knikte. Hij zag Wolter meteen weglopen in de richting van een jonge vrouw, die met een ander meisje min of meer op hem stond te wachten. Hij glimlachte. Ja, dat werd nog wel wat tussen die twee. Wolter was al een tijdje behoorlijk onder de indruk van de jonge vrouw. Ze was de dochter van een ploegbaas uit de spinnerij. Bij Wolter thuis zouden ze haar met open armen ontvangen.

Jaap bleef bij Huib staan. Hij keek om zich heen alsof hij iemand zocht. Huib stootte hem aan. 'Daar loopt ze,' knikte hij in de richting van de kerk. Jaap keek hem even weifelend aan. 'Wat doe jij dan?' zei hij toen.

Huib grijnsde. 'Maak je daar geen zorgen over. Ik wil nog even praten met Henk Koster over een paar zaken.'

Jaap was al weg en Huib slenterde traag naar een jongeman die bij een groepje anderen stond te praten.

'Hoi, Huib,' begroetten ze hem.

Er was altijd een groep jongelui die alleen bleef en die niet aanpapte met leden van het andere geslacht. De groep wisselde van week tot week. Ze slenterden als een grote groep langs de straat en soms wisselde de groep nog onderling.

'Huib, zag je dat meisje van Nijhuis niet? Die wil graag eens met jou aan de praat,' zei een van hen gemoedelijk.

'Dan moet ze maar komen,' merkte hij nonchalant op.

Ze grinnikten. Huib was niet onder de indruk van het meisje. Dat was dom, want ze was het aanzien waard. Die zocht wel een ander op, die wachtte niet tot Huib een keer aandacht aan haar besteedde.

'Als je zo gaat redeneren blijf je mooi alleen achter,' vond een van hen.

Huib lag er niet wakker van, zei zijn hele houding. Hij wist dat zijn maten dachten dat er niet veel vrouwenvlees aan hem zat, zoals ze dat noemden. Mis, jongens, je weet het niet en je staat er niet bij stil, maar er is er wel degelijk een die mijn volledige belangstelling heeft. Maar die dame komt hier niet. Ik heb haar nog nooit op zaterdagavond gezien.

Ergens was hij er wel blij om. Als ze plotseling zou verschijnen, zou hij zich geen houding weten te geven. Misschien ging hij wel de paljas uithangen en dan was het meteen bekeken. Dan wist iedereen hoe laat het was. Hij en de clown spelen…

Anneke Verbaan was niet de mooiste meid van het dorp, ze was een gewoon meisje met bruin haar en een regelmatig gezichtje. Een tenger meisje, eigenlijk te mager om iets van aantrekkingskracht te hebben. Ze woonde nog niet zo lang in het dorp, een jaar of vijf nog maar. Huib had haar toch al weleens in bescherming genomen als kwajongens het op het meisje gemunt hadden, zoals ze dat op iedereen weleens hadden. Een sneeuwbal in de winter, iemand van de fiets trekken, natspatten na een fikse regenbui, dat waren zo van die kleine pesterijen die Huib niet kon waarderen. Vooral niet als ze met zijn allen een zwakkere op de korrel namen.

Hij had Anneke een keer geholpen toen ze van de fiets werd getrokken. Ze had hem daar nooit voor bedankt. Misschien wist ze het niet eens wie haar redder was, want ze was net een klein schuw vogeltje. Ze dook in elkaar en keek alleen maar angstig naar de grond.

Ze werkte in de bakkerswinkel in het dorp en dat deed ze al zolang ze hier woonde. Ze had de mooiste bruine ogen van de wereld, had Huib meer dan eens gedacht. Als ze lachte, kwamen mooie tanden tevoorschijn. Haar donkere haren wilden bijna niet in een vlecht gevangen worden door de weerbarstige krullen.

Huib was al maandenlang ondersteboven van haar, eigenlijk al vanaf het moment dat hij haar redde van de kwajongens, maar hij durfde de stap niet te wagen. Ze was de enige dochter van een ouder echtpaar, dat haar op hogere leeftijd nog had gekregen, zeiden stemmen in het dorp. De moeder moest over de veertig zijn geweest toen Anneke geboren werd. Haar vader was de laatste jaren werkloos. Hij bracht op zaterdag de krant rond en verdiende zo nog een paar centen.

Huib wist dat de ouders over alles bedisselden wat het meisje betrof en zij liet zich dat aanleunen. Niets was goed genoeg, zeker een jonge vent niet. Die deugde bij voorbaat al niet.

Moeder Hanne had weleens wat denigrerend over de familie Verbaan gesproken. Het meisje was verwend tot op het bot, had ze gezegd. Ze hoefde niets en ze mocht ook niets.

Huib liet het allemaal stilletjes opmerken zonder er een woord tegen in te werpen. Hij had het ook wel gezien. 's Zondags zat ze met vader en moeder in de kerk, daarna liepen ze naar huis om koffie te drinken en liet ze zich niet meer zien. Het meisje had geen vriendinnen, die waren allemaal veel te veel gesteld op het manvolk, zei haar moeder volgens de buren.

'Ja, als het aan die ouwelui ligt, trouwt het meisje nooit,' knikte vader Egbert instemmend. 'Dat is jammer, ze ligt toch al niet zo best in de markt omdat ze hier vreemd is en het dialect niet spreekt.'

Huib had zich ingehouden, anders had hij zich verraden. Wat kon het hem schelen dat het meisje geen dialect sprak. Hij had er ook moeite mee.

Daar stond genoeg tegenover, die ogen, die tanden, dat haar... Maar Huib maakte geen aanstalten om nader kennis te maken. Hij liet het meisje rustig haar gang gaan en hij wist dat zij stomverbaasd zou zijn als ze geweten had dat Huib belangstelling voor haar had. Misschien ook was hij simpelweg bang voor een blauwtje. Die ouders vonden geen enkele jonge kerel goed genoeg, maar hoe Anneke zelf dacht over een man wist niemand.

Hij zag sommige jongelui quasi-onverschillig naar een groep meisjes wandelen. Hij grinnikte en liep traag met de anderen langs de winkelramen van de straat. De etalages waren donker. Morgen was het zondag en de dominee hield niet van verlichte etalages op zondag. Zondag was een rustdag, dan werd er geen handelswaar uitgestald, die de kerkmensen moest verleiden tot aankoop.

Hij keek naar de kerktoren met de verlichte plaat. Bijna negen uur. Tijd om af te haken en naar huis te gaan. Het was koud genoeg buiten, het was uiteindelijk hartje winter en het vroor dat het kraakte. Moeder zou nog wel koffie hebben en er was zeker ook nog wat extra's bij de koffie. Dat was er altijd op zaterdag en zondag.

Hij knikte naar de jongelui en liep langzaam naar huis. Hij was niet de enige, zag hij. Er waren veel meisjes naar huis, die om negen uur thuis dienden te zijn. Soms liepen de vriendinnen nog mee om bij de ouwelui nog een halfuurtje van de kou bij te komen met een glas warme melk. Dat mocht dan nog van de ouders.

Hij liep met een omweg naar huis, dat deed hij vaker. Toch even langs het huis van de familie Verbaan. Daar was het altijd stil en ingetogen, de luiken waren gesloten. Geen glimpje licht liet blijken dat de familie er was. Geen fiets stond naast het huis om aan te geven dat er visite was.

De familie kon wel in bed liggen en dat zou Huib ook niet verbazen. Ze bemoeiden zich niet met de buren en kennissen hadden ze ook bijna niet.

Zuchtend liep hij door naar huis. Ook daar was alles donker, maar door een kleine opening in de vorm van een hart aan de bovenkant van de luiken glipte een straaltje licht. Vader had waarschijnlijk nog geen tien minuten geleden de luiken gesloten.

Hij wist dat de ouwelui bij de tafel zaten en wachtten tot

de oudste weer thuis was. De dochters werden nog te jong bevonden om op zaterdag op straat te lopen, die zaten ongetwijfeld bij de radio te breien of te haken.

Hij opende de deur en het geroezemoes kwam hem al tegemoet. Hij glimlachte en hing zijn pet aan de kapstok naast de deur.

Toen opende hij de deur naar de voorkamer, die alleen gebruikt werd op zaterdagavond en zondag.

Zijn ouders keken meteen op. 'O, was je daar?'

Hij keek van de een naar de ander. 'Is er iets?' vroeg hij meteen.

Ze knikten alle vier. 'Het schijnt definitief te zijn dat er ontslagen gaan vallen bij de fabriek,' zei Egbert. Hij klonk niet vrolijk, maar bezorgd en verdrietig.

'Ze zeggen dat jouw naam op de ontslaglijst staat,' flapte Celestine eruit.

Huib fronste de wenkbrauwen. 'Dat lijkt me sterk,' zei hij kort. 'Vanmorgen vertelde de baas me dat ik aankomende week met een nieuwe machine moet gaan werken.' Dat zei niet alles; dat wist Huib ook wel. De baas kon zich zomaar bedenken en anders beslissen.

'Ik heb vernomen dat jij deze keer aan de beurt bent,' zei zijn stiefvader nog eens. 'De sectiebaas heeft de namen opgeschreven en voorgedragen bij de directeur.'

Huib haalde de schouders op. 'Tja, dan hoor ik het maandag wel. Het zal me op zich niet verbazen. Ik ben zo'n beetje de enige jonge knaap die nog rondloopt op de weefzaal. Jaap en Wolter zullen dan ook wel aan de beurt zijn.'

De stemming was bedrukt, merkte hij toen hij ging zitten op zijn plaatsje naast de brandende kachel.

De ouders keken elkaar aan. Typisch Huib om zo te reageren. Hij maakte zich niet boos over kennelijke woordbreuk van de baas.

Zo was zijn vader ook geweest, dacht moeder Hanne. Corneel maakte zich ook geen zorgen voor de dag van morgen. Hij zou het wel zien, zei hij altijd. Het scheen dat Corneel en ook zijn zoon ongevoelig waren voor menselijke veranderingen. Of het interesseerde ze niet, maar hen overstuur krijgen door vreemde capriolen van anderen lukte bijna niet. Het leek alsof ze de mensheid net niet helemaal vertrouwden en altijd een vorm van tegenslag verwachtten. Maar niemand wilde weten wat er zou gebeuren als ze een keer wel overstuur raakten... Hanne kneep de lippen op elkaar. Corneel, alweer zoveel jaren dood, daar in die hel van Diksmuide. Hij had zelfs nog gezegd toen hij vertrok dat hij wel zou merken hoe het daar zou zijn. Terwijl zij bijna lichamelijk voelde dat ze hem nooit weer zou zien... Nu hadden onbekenden die kolonel vermoord, eindelijk. Ze hadden het al jaren geleden moeten doen. Natuurlijk wezen de Waalse beschuldigende vingers in de richting van fanatieke Vlamingen, maar er moesten wel bewijzen komen voor er een proces zou plaatsvinden. Het was allang geen oorlog meer toen de hand werd gelicht met de rechtspraak.

Waarom was die moord alsnog gepleegd, zoveel jaren na dato? Daarover schreef haar zwager niet, maar er moest iets zijn voorgevallen wat sommigen had doen besluiten alsnog wraak te nemen. Roofmoord, nee, daar geloofde Hanne geen moment in.

Ze wilde de rust van de zondag gebruiken om een brief te schrijven naar haar zwager Jean in België en vooral de vraag stellen of het misschien toch een roofoverval was geweest. Dat zou toch kunnen?

Ze hoopte dat hij dat antwoord kende.

4

Het was die maandagmorgen onrustig onder de textielarbeiders toen de werkweek weer begon in de fabriek. Ze
waren zwijgend en somber in de duisternis van de ochtend
naar het werk gelopen, een aantal van hen kwam op de fiets
omdat ze in een van de buurtschappen woonden.

De zondag had niet de rust gebracht waarvoor ze bedoeld
was, ze bracht wel onzekerheid en zorg. Iedereen praatte
over het dreigende ontslag. Ze hadden de laatste jaren al loon
ingeleverd en een aantal maanden geleden hadden ook nog
honderd, meest ongehuwde arbeiders het werk opgezegd
gekregen.

In Almelo en Enschede waren de laatste weken ook al ontslagen gevallen onder de vele textielarbeiders. Over het hele
land werden duizenden mensen werkloos. Overal werden
mensen op straat gezet, of het nu een grote fabriek met duizenden werknemers betrof of een kleine winkelier met een
meisje in de zaak.

De recessie had de laatste jaren diepe wonden geslagen.
Niemand durfde nog een financieel risico aan te gaan. De
huizenbouw lag nagenoeg stil in Nederland, nieuwe kleren
werden bijna niet meer gekocht, zelfs op de boodschappen
werd bezuinigd voor zover dat nog kon. Pessimisten spraken
over lange jaren van armoede en ellende, die nog voor hen
lagen; het zou allemaal nog veel erger worden dan het de
laatste jaren al was geweest.

Men ging deze ochtend zwijgend en gelaten aan het werk.
Wat kon je anders doen als gewone arbeider?

Tegen de avond werden een aantal brieven uitgedeeld aan
spinners, wevers en andere arbeiders. Ze beseften het: ja, het
was zover. Voor een aantal van hen hield de dagelijkse gang
naar de fabriek, die ze jarenlang hadden afgelegd, op.

Weer meer arbeiders zonder werk. En wie vroeg er nog
naar personeel? Er was bijna geen uitzicht op ander werk. Er
waren mensen vertrokken naar andere delen van het land

omdat daar nog werkvolk werd gevraagd. Buren van Huib gingen naar Brabant, naar Eindhoven, daar was nog werk. In de textiel werd het nooit weer wat, dachten ze.

Huib zag het gezicht van een goede kennis aan de machine schuin achter hem. Een trieste, moedeloze knik. Hij had ook een brief gekregen.

Huib klemde de lippen op elkaar toen hij de sectiebaas zag naderen. Huib had vanmorgen geen andere machine gekregen, zoals hem was toegezegd. Hij had genoeg geweten en de hele dag beseft dat hij zou worden ontslagen. Voor hem was het geen verrassing toen de sectiebaas bleef staan.

'Ik had het graag anders gezien,' zei de man enkel en hij overreikte Huib de gevreesde brief. 'Maar we moesten kiezen tussen jou en een aantal anderen. Bij jou thuis is de situatie niet zo nijpend als bij anderen. Er zijn zelfs jongens bij die helemaal zijn overgeleverd aan de sociale dienst.'

Huib knikte kort en nam de brief aan. 'Deze week nog?' vroeg hij rustig.

De baas knikte. 'Zo gauw het verandert ben jij de eerste die terugkomt, Bosschaard,' beloofde hij.

Huib keek hem zwijgend aan. 'Dat zullen we dan wel zien,' zei hij kort als altijd. 'Voorlopig sta ik wel aan de kant.'

De sectiebaas kreeg een vreemd gevoel. Die woorden, dat ze als eerste terug konden komen, sprak hij bij elke man die hij een brief moest overhandigen. Het was een schrale troost, maar hij wist dat elke ontslagene meteen zou komen zo gauw er maar een mogelijkheid leek om weer aan het werk te kunnen. Maar bij deze man, een uitstekende wever en ook iemand die een machine begreep, kon het weleens anders uitpakken. Die kwam misschien niet meteen terug, die kwam misschien helemaal niet terug.

De baas had zich verzet tegen het ontslag van de halve Belg. Dat had hij bij meerderen gedaan. Hij had gepleit, de vent was zijn loon waard. Er liepen, met permissie gezegd, een aantal huisvaders rond die meer narigheid veroorzaakten dan dat ze nut opleverden, en die mochten blijven. Hij had het gevecht verloren. De getrouwde mannen met een gezin gingen voor, had de directeur beslist.

Bosschaard moest worden ontslagen, hij was niet getrouwd en woonde nog thuis. Voor hem kwam de klap minder hard aan dan voor een arbeider die een vrouw en kinderen achter zich had staan.

Al die andere jongelui zouden week na week komen vragen of er alweer uitzicht was op werk. Zo gauw er een gerucht rond zou zingen dat er weer mensen werden aangenomen, zouden ze allemaal op de stoep staan bij de villa van meneer. Kon meneer aan hen denken als hij weer volk nodig had, ze waren al vanaf hun twaalfde jaar in de fabriek aan het werk geweest. Ze konden ook niet wat anders aanpakken, ze kenden niets anders dan het werk in de fabriek.

Bosschaard zou niet komen bedelen, besefte de sectiebaas. Waarom niet, wist hij niet. De man had de fabriek op de een of andere manier niet nodig, zoals al die anderen hem wel nodig hadden. Eigenlijk had de baas door de jaren heen verwacht dat de jonge kerel op een zeker moment zelf ontslag zou nemen om iets anders te beginnen. Hij was een handige kerel die zijn handen nergens voor omdraaide.

Langzaam liep hij door en keek nog eens om. Huib had de brief in zijn zak gestoken en werkte alweer volop. Nog even en de dag was voorbij.

De anderen stonden nog bij elkaar te praten.

Hanne was zwaar teleurgesteld, mokte ze toen Huib bijna rustig de brief op tafel legde.

Egbert knikte en zweeg maar. Het had toch geen zin om commentaar te leveren. Het was ergens logisch dat Huib aan de beurt was. Hij behoorde bij de laatste lichting ongehuwde jongelui, die eruit gingen. Ook zijn beide vrienden was ontslag aangezegd.

'We mogen dankbaar zijn dat Liselotte weer werk heeft,' merkte Egbert op. 'En ik heb ook nog mijn spinmachine en

Celestine werkt bij de dominee.'

Hanne knikte lusteloos. Nee, zij waren niet aan de honger overgeleverd en evenmin aan de paar centen van de uitkering. Ze hadden het zelfs beter dan een heleboel anderen. Er waren alles bij elkaar nog twee lonen in dit gezin.

Ze hadden ook nog wat achter de hand. De zuinige Hanne had een spaarbankboekje met een klein, zorgvuldig opgespaard kapitaal. Ze konden dit hebben zonder al te veel in te hoeven leveren.

'We mogen niet klagen,' zei Egbert kalm.

Nee, dat mochten ze ook niet. Daar waren ze allemaal van overtuigd, maar toch...

Huib zweeg en at zijn bord leeg, zoals ze dat van hem kenden. Het leek hem niets te doen dat hij geen werk meer had. 'Ik heb vorige week beloofd dat ik de fiets van buurvrouw de Ruiter na zou kijken,' zei hij toen het eten gedaan was. 'Daar heb ik volgende week mooi de tijd voor.' Het klonk alsof hij een week vakantie had.

Hij slenterde naar de schuur achter de woning. Ze keken hem zwijgend na. Egbert zuchtte. 'Tja, wat hij denkt dat zegt hij niet en wat hij zegt dat denkt hij niet, geloof ik.'

Hanne glimlachte een beetje triest. 'Hij kon ons weleens voor verrassingen stellen,' zei ze ineens. 'Ik hoorde vanmiddag al dat die jongste zoon van Jacob Wilmsen er sterk over denkt om naar Amerika te vertrekken als hij ook ontslagen wordt. Daar schijnt het wat beter te worden.'

Egbert schoot in de lach. 'Huib en emigreren,' zei hij lachend. 'Nee, Hanne, je weet hoe hij daarover denkt. Ik wil veel van je aannemen, maar dat niet. Albert Wilmsen heeft daarginds veel familie, broers van zijn vader, een paar neven en nichten. Dat ligt heel anders. Huib kent niemand in Amerika...'

'O nee, emigreren zal er niet bij zijn, dat geloof ik ook niet,' zei Hanne en het accent in haar Nederlands werd scherper. 'Maar ik geloof ook niet dat hij rustig op een stoel gaat zitten wachten tot de fabriek hem weer nodig heeft.'

Egbert knikte instemmend. Nee, dat geloofde hij ook niet. Daar was Huib de man niet naar. Die zocht wel wat op, daar was Egbert van overtuigd. Toch jammer dat de jongen jaren geleden niet naar de ambachtschool had gewild, dacht hij nog.

De neerslachtigheid was overal te voelen. Iedereen had maar één onderwerp: de ontslagen in de fabriek. Iedereen had er wel enigszins begrip voor, maar waarom hij nou degene was die er nu uit moest en niet een ander, daarover raakten de gemoederen nog weleens verhit.

Huib bemoeide zich er niet mee, hij ging de hele week gewoon naar zijn werk en die laatste zaterdagmiddag ging hij onaangedaan de poort voorgoed uit. Al die anderen waren behoorlijk geëmotioneerd.

Het ontslag was altijd een aanslag op de huishoudportemonnee, maar voor sommigen was het helemaal erg. Ze bleven zonder inkomen achter, want er waren nog broers en zusters die een loon binnenbrachten. Dat was ook het geval voor Huib, hij zou geen beroep kunnen doen op een uitkering. Het had een voordeel, dacht hij. Hij had met niemand iets te maken en kon doen en laten wat hij zelf wilde.

Die zaterdagmiddag werkte hij, zoals meestal op zaterdagmiddag, in de schuur. Een radio nakijken, een schemerlamp repareren, een olielamp voorzien van een elektriciteitssnoer met lamp, zodat hij nog jaren gebruikt kon worden, 'want hij was nog van opoe geweest en zo hadden ze nog een mooie herinnering aan de oude vrouw.'

Halverwege de middag kwam zijn zuster binnenlopen. 'Huib, de dominee heeft een klusje voor je,' zei ze.

Huib keek op. Hij zag haar bedrukte gezicht. Hij grijnsde vriendelijk. 'Ja, ik ken die klusjes van de dominee,' knikte hij.

Celestine snifte even. 'Hij wil dat je volgende week de fietsen van zijn vrouw en zijn kinderen nakijkt. Je hebt er nu de tijd voor, zegt hij.'

Huib schudde enkel het hoofd. 'Celestine, het is jammer voor de dominee, maar nu ik werkloos ben, kan dat niet voor niets gebeuren. Zeg hem dat maar. Dan hoeft het ineens niet meer.'

Ze keek bedrukt. Ze ging niet graag met die boodschap naar haar werkgever toe. Toen Huib nog in de fabriek werkte kon ze nog zeggen dat hij geen tijd had, maar die smoes ging nu niet meer op.

'Hij denkt dat hij jou er een dienst mee bewijst,' zei ze langzaam.

'Dat doet hij niet en dat weet hij ook wel. Als jij het hem niet durft te zeggen, zeg hem dan maar dat hij bij mij moet komen.'

'Misschien word ik dan ook wel ontslagen,' zei ze verdrietig.

'Iedereen weet hoe de dominee is: altijd voor een cent op de eerste rang. Ik weet dat hem dat weleens onder de neus is gewreven. Denk alleen maar aan ouderling Lubbert Warmink.'

Ze grinnikte ineens. Iedereen kende de flamboyante ouderling, die nooit een pet droeg ook al was hij fabrieksarbeider. Hij droeg een zwierige hoed, die hij ooit ergens op de kop had getikt. Het ding was inmiddels grijs uitgeslagen van ouderdom, maar Lubbert weigerde er afstand van te doen.

Lubbert schreef artikeltjes in de wekelijkse krant, bijgenaamd het sufferdje, korte gedichten en aardige stukjes over vroeger. Ze werden graag gelezen door iedereen. Er waren veel mensen die op zaterdag eerst de tweede pagina opsloegen om te lezen wat Warmink geschreven had.

Lubbert Warmink zat ook in de kerkenraad en het was algemeen bekend dat hij en de dominee geen vrienden waren. Hij miste ook elke vorm van respect voor de geestelijke en kon soms ongenadig uithalen als de dominee weer eens doordraafde in zijn eis voor de dienstverlening aan hem en zijn gezin door de kerkenleden. Die moest altijd opgeschroefd worden. Hij had al een tuinman, die nog nooit een cent had gezien voor al het werk, de schilder had al eens de pastorie behangen en geen loon ontvangen, zelfs het behang was niet betaald.

'U wordt onderhouden door de gemeenteleden,' had Lubbert eens scherp opgemerkt. 'Er zijn mensen bij die daarvoor bijna het brood uit hun mond moeten sparen. Een beetje minder hoog van de toren blazen zou u sieren, dominee.'

Het had niet veel geholpen.

Celestine vertrok weer, een beetje opgemonterd maar toch bedrukt. Ze besefte dat ze met haar slecht betaalde baan als dienstbode blij moest zijn nu er ineens een heel loon weg was gevallen. De dominee kon voor haar tien anderen krijgen, meende ze.

Huib keek zijn jonge zusje na. Ach, ze was ook nog niet eens zestien jaar. Hij grinnikte ineens. Maar wel stevig verliefd, dacht hij bijna vrolijk. Hij had haar al een paar keer zien lopen met een buurjongen en het leek dik aan.

Moeder Hanne moest het niet merken, die vond haar dochter nog te jong voor het manvolk. Daar kwam alleen maar narigheid van, zou ze zeggen.

Huib maakte er zich niet druk over, het was een aardige jongen uit een goed nest, vond hij. Hij keerde zich weer naar zijn bezigheid, het repareren van de olielamp.

Dus de dominee had ook al vernomen dat hij was ontslagen. Ja, hij had genoeg kleine karweitjes om Huib van de straat te houden. Van betalen had de dominee nog nooit gehoord. Huib zou nog dankbaar moeten zijn dat hij die armzalige werkjes mocht opknappen. 'Nee, dominee, je gaat op zaterdagmiddag zelf maar je fiets opknappen. Dat doen andere huisvaders ook.'

Een korte tik tegen het raam. Huib keek op. Zijn vriend Wolter kwam huiverend de schuur binnen. 'Nou man, het is hier ook niet warm...' zei hij rillend.

'Hoe gaat het?' vroeg Huib.

Wolter had ook de gevreesde brief in ontvangst moeten nemen, net als Jaap. Er liep al te veel volk in het magazijn rond. Ze hadden alle drie tot de laatste jongelui behoord die nu werden ontslagen.

'Mijn moeder in tranen, mijn vader heeft de hele maandagavond geen stom woord gezegd. Tja, het is niet anders. Alleen Dina werkt nog. Zij mocht blijven omdat er anders geen inkomen meer was en mijn vader bij de gemeente moest aankloppen. Kijk, ze hebben nog een paar centen achter de hand, al gaat het de laatste jaren toch flink achteruit. Er zijn een aantal jaren drie lonen binnengekomen, maar toen werd mijn ouweheer ziek en kon niet meer werken.' Wolter ging zitten op een oude ton. 'Ik ga maandag eens praten met Nieuwlaar, de veenbaas. Misschien kan ik nog wat voor hem doen.'

Huib knikte. 'Geen gek idee. Je hebt slag van het turfsteken en het uitzetten van de veenputten. Maar ja, het eigenlijke turfsteken begint pas in maart, als het weer meewerkt.'

'Ik weet niet wanneer de fabriek weer volk nodig heeft. Ze denken dat het wel een paar jaar kan duren. Ik kan daar niet op gaan zitten wachten, man. De ouwe is al jaren werkloos. Die komt niet weer aan de slag.'

Huib zweeg. Ja, Ten Have was al jaren werkloos. Bij de eerste golf van ontslagen was hij er meteen uit gegaan. Enerzijds omdat hij te oud en ziekelijk werd, anderzijds omdat hij bekendstond als een echte communist. Er waren wel meer socialisten in dit dorp, maar communisten werden toch anders bekeken. De oude Ten Have predikte de schuld van het kapitaal en de revolutie van de arbeider. Dat soort opruiende taal hoorden ze niet graag in de grote zalen van de textielfabrieken. De bazen niet, ook de arbeiders niet. Kobus ten Have werd geloosd zo gauw het maar kon. Het maakte hem bitter en vijandig.

Wolter was heel anders, dat had hem tot nu toe in de fabriek gehouden.

'Wat ga jij doen?' vroeg Wolter ineens.

Huib haalde de schouders op. 'Ik weet het nog niet. Ik denk wat te hooi en te gras rondstruinen. Zoals de meesten van ons moeten doen.' Hij legde de sleutel neer en veegde zijn handen af. 'Kom mee, jongen, eens kijken of er nog koffie is.'

Wolter knikte dankbaar. Ze liepen naar de keuken, waar de kachel behaaglijk brandde. 'Ha, het is hier beter dan in die koude schuur,' bromde Wolter en schurkte naast de kachel.

Egbert grinnikte. Hij tastte naar zijn pijp en merkte op dat hij nog een pijpje stopte en dan naar de barbier vertrok voor zijn wekelijkse scheerbeurt.

Hanne schonk de koffie in.

De buitendeur klapte open en een stem riep: 'De krant.'

'Kom binnen, Verbaan. Het is koud en de koffie is heet,' riep Hanne.

'Nou, eventjes dan,' kwam het zuinigjes.

De oudere man schuifelde naderbij en ging bij de tafel zitten. 'Hoe gaat het hier?' vroeg hij met een knik naar de twee jongelui bij de kachel. Hij had ook al vernomen dat er ontslagen waren gevallen.

Huib was ineens zwijgzaam. Het viel niemand op. Huib was vaker stilletjes in gezelschap.

'Tja, wat zullen we ervan zeggen. Het is onze deur niet voorbijgegaan. Het is niet anders,' zei Egbert.

Hanne pakte de portemonnee uit de diepe kast naast het fornuis en betaalde de krant. Verbaan nam het geld met een lichte glimlach in ontvangst. 'Er zijn al mensen die de krant hebben opgezegd,' zei hij terwijl hij het geld zorgzaam wegborg.

'Hoe is het thuis?' vroeg Hanne ten overvloede. 'Ik hoorde dat Anneke weer ziek was.'

Huib schokte bijna overeind. Hij had er niets van vernomen.

De oudere man knikte verdrietig. 'Ja, ze is niet sterk en heeft veel last van bronchitis. Ze kon de afgelopen dagen niet werken.' Hij keek op en zuchtte. 'Haar werkgever heeft er weinig begrip voor, moet ik zeggen. Hij praat erover om een ander meisje aan te nemen.'

'Trouw moet blijken, zegt het spreekwoord, maar het moet wel van de kant van de arbeider komen,' merkte Wolter verontwaardigd op. Hij was toch wel een zoon van zijn vader, dacht Huib.

De oudere man gaf geen antwoord. Hij dronk zijn koffie op en nam afscheid. Hij had nog een aantal kranten weg te brengen.

Huib reikte zwijgend naar de krant. Zijn gedachten draaiden op volle toeren. Anneke ziek? Ze was niet sterk, zei haar vader, maar Huib had dat altijd bekeken als overbezorgdheid. Verbaan en zijn vrouw hadden maar één kind en dat kind was hen alles. Anneke werd tot en met in de watten gelegd.

Het was Huib meer dan eens opgevallen dat moeder Hanne altijd vol bezorgdheid informeerde naar de gezondheid van het meisje, al vond ze wel dat Verbaan wat overdreef met zijn voorzichtigheid.

Egbert knikte zwijgend naar de gesloten deur. 'Ze moesten het kind niet zo ontzien. Straks is ze haar werk nog kwijt…'

Hanne schudde het hoofd. 'Ik heb gehoord dat ze dit keer werkelijk iets mankeert. Ze zijn zelfs bang voor longontsteking…'

Huib slikte iets weg. Dat zou toch niet waar zijn, dacht hij ongerust. Longontsteking, dat was een lelijke aandoening, daar stierven veel mensen aan.

Hij stond weer op en wenkte Wolter mee naar de schuur.

Hanne keek hem na. Nou, hij had blijkbaar haast, die zoon van haar. Ach, het interesseerde hem natuurlijk niet. Hij kende het meisje amper. Hij wist misschien niet eens wie ze was. Het kind werd ook zo afgeschermd door die ouwelui.

Hanne kreeg de neiging te zuchten. Ja, ze begreep het wel, misschien zou ze zelf net zo handelen als ze in die omstandigheden verkeerde. Huib besefte dat niet en dat was maar goed ook. Waar lag Huib wel wakker van?

Net als Corneel, dacht ze, die was soms ook ongrijpbaar, zo afstandelijk en toch, hij was een beste man voor haar geweest. Aan Egbert mankeerde niets, ze kneep de handen samen omdat ze voor een tweede keer zo'n goeie vent had gekregen. Ze had ook een ouwe zuiplap kunnen treffen, die de handen los aan zijn lijf had zitten. Ze was dankbaar, maar ze wist dat Egbert geen Corneel was. Dat wilde, dat verliefde, dat soms ongegeneerde dat hen had gekenmerkt, was er bij Egbert niet. Het was allemaal netjes, bezadigd, voorspelbaar en goed. Dat moest ook, haar gewonde ziel had die rust en die vrede opgedronken door de jaren heen. Egbert was er altijd voor haar, hij ving haar op, hij troostte haar, hij nam haar in bescherming. Hij was ook een aantal jaren ouder... Ze zou doodgaan als hij ooit weg zou vallen.

Maar Corneel aan het front, ver weg in het diepe zuiden van België...

Ze wendde zich af, wist iets in te houden dat op een snik leek. Corneel volgde altijd zijn eigen kop, net als Huib. Niets leek hen te deren. Wat had Corneel die houding gebracht? Veel te jong overleden, daarginds in België aan het front bij Diksmuide en Nieuwpoort...

Hanne kneep de lippen op elkaar, haar ogen star van boosheid.

Haar vuisten waren gebald, merkte ze. Zoals zo vaak, zoals eigenlijk altijd...

5

February spoedde zich alweer naar het einde van de maand. Hanne verzuchtte dat de tijd te snel ging. Voor je het wist, was het alweer Kerstmis. Nu was je alweer zeven weken in het nieuwe jaar. Egbert stemde ermee in. Hoe ouder je werd, hoe sneller de tijd ging; dat zei zijn moeder vroeger al.

De fabriek draaide op halve capaciteit; er gingen alweer geruchten over op handen zijnde ontslagen. De jongelui die in januari hun ontslag hadden gekregen zochten nog steeds naar nieuw werk. Slechts enkelen van hen hadden dat gevonden.

De meesten knapten klusjes op, die werden aangeboden, of zochten zelf bezigheden. Een boom omhakken voor een ouder echtpaar, een sloot uitgraven voor een boer, wat goederen versjouwen. Ze waren tot alle werkzaamheden bereid. Het leverde in elk geval een paar centen op. Anderen gingen elke ochtend en soms ook elke middag zuchtend naar het arbeidsbureau om een kaart af te laten stempelen die recht gaf op een uitkering. Een aantal had een beter vooruitzicht. In het vroege voorjaar zouden ze beginnen als turfsteker in het veen.

Huib vermaakte zich wel, zei Hanne bijna bitter. Hij leek zich niet te bekommeren om werk.

Hij werd aangeklampt om een radio na te kijken, een fiets werd tegen de muur van de woning gezet. Of Huib er even naar kon kijken? Een jongeman, net getrouwd, moest zijn huis nog in orde maken met lampen en andere elektrische apparaten. Kon Huib een paar avonden helpen tegen een redelijke vergoeding? Het kon allemaal, knikte Huib.

Hanne was blij dat hij op deze manier bezig was, maar ergens vond zij dat hij actiever naar werk moest zoeken.

'Wat wil je dan?' vroeg Egbert haar op een avond. 'Wil je dat hij verkast naar Enschede of zijn toekomst zoekt in den vreemde?'

Nee, dat wilde Hanne beslist niet, maar ze kon zich ergeren aan die houding van haar zoon. Die liet Gods water maar over Gods akker lopen.

Egbert schudde het hoofd. Die jongen was goed bezig, vond hij. Die liep er de kantjes niet af. De jongen zou moeten inzien dat in dit soort werk zijn toekomst en ook zijn hart lag. Dat was veel beter dan dat werk in de fabriek.

Lubbert Warmink, de ouderling en schrijver van artikeltjes in de krant, stapte een maand na het massaontslag op een avond bij de familie naar binnen en ging ongevraagd bij de tafel zitten.

'Hoe gaat het hier?' wilde hij weten. Hij kwam vaker zo binnen bij families. Soms was het nodig, soms ook niet.

'Wij mogen niet klagen,' zei Egbert rustig. 'Wij eten nog steeds geen boterham minder dan tien jaar geleden.'

Lubbert knikte. Dat was bij een aantal families in het dorp wel anders, vertelde hij. De diaconie van de kerk werd geregeld aangesproken en dat was meestal niet uit overdadigheid. De meeste mensen moesten over een hoge drempel heen. Bijna niemand wilde weten dat de nood zo hoog gestegen was dat ze bij de kerk moesten aankloppen om een boodschappenmand met eten. Laat staan dat ze bij het nationale crisiscomité op de stoep stonden. Dat comité probeerde ook de nood te lenigen onder de Nederlandse bevolking.

Hij kreeg een mok koffie voorgezet. 'Ik dank u, geachte dame,' zei hij met een grimas en Hanne schudde het hoofd. Altijd wat nieuws bij de kop, die Warmink.

Hij keek haar aan. 'Je hebt zeker ook gehoord dat de Belgische koning, Albert de eerste, is overleden?' vroeg hij met een schuine blik naar Huib. 'Er gaan wat vreemde geruchten over zijn dood. Hij is verongelukt bij het bergbeklimmen in de Ardennen, maar hij was een ervaren alpinist,' vertelde Warmink. 'Wat natuurlijk niet wil zeggen dat je dan niets kan overkomen.'

Ze knikten stroef. Hanne had het niet op België, dat was algemeen bekend. Ze praatte zelden over haar oude vaderland, niet tegen de kinderen en nog minder tegen derden.

'O ja?' vroeg Egbert belangstellend. Die was minder gesloten. 'Wat voor soort geruchten?'

Lubbert wendde zich naar hem toe. 'Men fluistert dat het niet helemaal een ongeluk is. Sommigen willen een onderzoek, maar dat wordt keurig afgeschermd. Er zijn veel vragen gerezen bij zijn plotselinge dood.' Hij dronk zijn koffie op. 'Het was een gezien man. Ze noemden hem de koningsoldaat. Hij bleef bij zijn mannen aan het front in de grote oorlog. Het schijnt dat de manschappen zeer op hem gesteld waren.'

Hanne keerde zich met een boos gezicht naar hem toe. 'Ja? Nou, de Vlaamse soldaten waren anders woedend op hem. Hij heeft van alles beloofd om onze jongens in 1914 binnen het leger te krijgen, ze zouden gelijk behandeld worden ten opzichte van de Walen, dat beloofde hij met de hand op het hart. Daar is nooit iets van terecht gekomen. De Frontbeweging van de Vlaamse soldaten heeft hem in 1917 een boze persoonlijke brief gestuurd, dan moet het water je wel tot de lippen gestegen zijn.' Ze wendde zich met een ruk af.

Huib zag het en fronste de wenkbrauwen. Een beetje dwars merkte hij op: 'De koning lag niet in de loopgraven zoals de gewone soldaten, Warmink, hij zat veilig in een beschutte bunker. De man heeft nooit mortierregens en gasaanvallen moeten ondergaan en is nooit door de modder gekropen, laat staan dat hij ziektes heeft opgelopen als tbc.'

Warmink knikte en vroeg argeloos of de familie soms iets meer wist over die strijd in het zuiden van België. Hij wist dat Hannes eerste echtgenoot daar gesneuveld was. Hanne kneep de lippen op elkaar en haar hele gezicht liet blijken dat ze verder geen woord zou zeggen.

Dat deed zijn moeder altijd, dacht Huib ineens. Ze had nooit de dood van vader Corneel aan het front verwerkt. De oorlog was een inktzwarte bladzij in het leven van Hanne. Niet alleen het verlies van haar man, maar ook de dood van haar dochtertje, de vlucht naar een vreemd land... Het was genoeg ellende voor een heel mensenleven. Was het vreemd dat ze daar niet overheen kwam? Dat het pijn bleef doen?

Het was niet erg tactisch van Lubbert Warmink om daar zo ronduit naar te vragen. Egbert nam de pijp uit zijn mond. 'Lubbert, een ander onderwerp graag. Het ligt gevoelig, zelfs na al die jaren nog. Dat moet je toch kunnen begrijpen.'

Lubbert knikte wat bedremmeld. 'Het spijt me, vrouw Maatman. Ik had beter moeten weten. Maar ja, ik hoorde vanavond nog een verhaal uit België. Dat zullen jullie ook wel vernomen hebben.'

'We hebben geen radio gehoord,' zei Egbert haastig. 'Wat voor een verhaal? De koning is afgelopen week begraven. Dat hebben we wel meegekregen.'

'En wij hebben geen condoleance gestuurd,' zei Hanne dwars.

Huib was de enige die zijn moeder strak aankeek. Toen blikte hij naar Lubbert. 'Wat was er op de radio?'

'Dat ging over die kolonel, die op oudejaarsdag in zijn landhuis in België is vermoord.'

'Zijn er mensen voor opgepakt?' kwam het haastig van Hanne.

'Nee, het spoor loopt helemaal dood. Maar er is een klacht ingediend tegen een paar Vlaamse kranten, die een artikel over de man geschreven hebben. Het schijnt dat hij er nogal slecht van af komt in die stukken en dat vindt de familie niet prettig, zullen we maar zeggen. Hij staat bekend als een oorlogsheld.'

'Wilde jij er aandacht aan besteden in een van jouw stukjes?' vroeg Egbert schuin.

Lubbert knikte openhartig. 'Ja, ik schrijf wel vaker over koningen en generaals, zoals je weet. En België is dichtbij. Die onderlinge strijd tussen de Walen en Vlamingen interesseert me...'

'Ik zou het in dit geval maar niet doen,' zei Hanne ineens.

Lubbert staarde haar aan. 'Pieter Nijs is het niet met je eens, vrouw Maatman,' merkte hij op. 'Die wil juist graag dat ik eens in die geschiedenis met die kolonel duik.'

'En dat verhaal komt dan in het plaatselijke sufferdje,' sneerde Hanne. 'Ja, daar zullen ze in België van onder de indruk zijn.'

Lubbert keek haar rustig aan. 'Vrouw Maatman, het gaat er niet om of ze er in België van onder de indruk zijn. Het gaat erom dat ze er hier iets van weten en niet alles kritiekloos voor waar aannemen wat rondgebazuind wordt. Pieter Nijs heeft mij het nodige verteld over die man. Daarom kom ik hier. Research doen, zoals ze dat in Amerika noemen.'

Huib leunde over de tafel. 'Ik vind dat wel een goed idee. Weet je hoe ze in België over die man denken?'

Lubbert knikte kort. 'Ik luister veel naar de Belgische radio, die kan ik goed ontvangen bij mij thuis. Die kolonel stamt van hoog volk, maar was, volgens de Vlaamse radio, volslagen incompetent als kolonel. Dat vertelde Nijs me. Die man schijnt een aantal flinke stommiteiten in de oorlogsjaren te hebben uitgehaald, maar die zijn na de oorlog in de doofpot gestopt. Na 1918 is er sprake geweest van een onderzoek door de krijgsraad, maar dat is snel afgewenteld. Er gingen geruchten dat die krijgsraad zelf ook de nodige steken heeft laten vallen bij een aantal processen en men zegt ook dat het koningshuis ingegrepen heeft en zo een onderzoek heeft tegengehouden.'

'Ja, dat hoorde ik ook van Pieter Nijs,' zei Huib bedachtzaam.

Hanne keek haar zoon verstoord aan. 'Wat heb jij bij Nijs te zoeken?' vroeg ze bijna ruzieachtig.

'Nou, nou, rustig, Hanne,' suste Egbert.

Hanne ging zitten en zweeg met een boos gezicht.

Lubbert stond weldra op. Hij had er verkeerd aan gedaan hier binnen te stappen, dacht hij bedrukt. Die oorlog leefde nog zo intens bij vrouw Maatman. Dat had hij moeten inschatten. Hij nam wat haastig afscheid, maar Huib stond op en volgde hem. Hanne keek hem vertwijfeld na.

De beide meisjes waren al verdwenen naar boven. Dat

geklets over die oorlog vonden ze maar niets. Zij hadden wel belangrijkere zaken aan het hoofd.

Hanne keek haar man hoofdschuddend aan. 'Wat heeft hij nou weer met Warmink te bespreken? Hij loopt blijkbaar ook al naar Pieter Nijs. Ik houd daar niet van.'

'Hanne, als die jongen nog niet nieuwsgierig was, dan is hij het wel geworden door jouw manier van doen. Die geschiedenis zit jou heel hoog. Het heeft je leven getekend tot op de dag van vandaag. Ik begrijp best dat je de kinderen daar buiten wilt houden, maar dan moet je je niet gedragen zoals je dat nu doet. Het leek alsof Huib die hele zaak aanvankelijk amper interesseerde, maar ik heb allang in de gaten dat hij helemaal andersom is gedraaid.'

'Ik wil niet dat hij daarbij betrokken raakt.'

Egbert legde verbaasd zijn pijp neer. 'Betrokken raakt? Daar heeft hij toch niets mee nodig? Waarom zou Huib daar iets mee te maken krijgen? Hij is vol belangstelling, ja, maar hij woont in Nederland, hij is Nederlander. Hij heeft met België niets uit te staan, al heeft dat land wel een bijzondere band met hem. Het is en blijft zijn geboorteland.'

'Ik ben nog altijd bang dat hij naar België wil…'

'Nou, daar heb ik hem nog nooit over horen praten. Bovendien is hij nu werkloos en kan hij zijn centen beter bewaren. Die zal hij niet in dure reisjes steken, daar is hij geen jongen voor.'

Ze werd wat rustiger, zag hij, en hij streek over haar arm. 'Vrouwtje, vrouwtje, je maakt het jezelf moeilijker dan nodig is. Die oorlog begon twintig jaar geleden, dat is een lange tijd in een mensenleven.'

'Het gaat nooit voorbij, Egbert…' zei ze zachtjes.

Hij knikte langzaam en met een verdrietige glimlach. 'Nee, Hanne, dat weet ik. Die oorlog gaat nooit voorbij, zeker niet voor jou. Daarvoor heb je te veel verloren.'

Huib liep met Lubbert Warmink langs de straat. Hij legde uit dat zijn moeder overgevoelig was voor 'die oorlog'.

Lubbert knikte. 'Ik begrijp het, jongen, het was onnadenkend van mij. Maar Pieter Nijs zei dat je moeder veel meer weet dan ze voorgeeft te weten.'

'Ze zat er middenin, Warmink. Ze heeft al die narigheid met eigen ogen gezien...'

De man knikte. 'En dan kan het een trauma worden. Het spijt me. Ik wilde geen ellende veroorzaken. Het gaat mij alleen maar om getuigen, die me iets meer kunnen vertellen dan normaal in de krant staat. Nijs heeft onder die kolonel gediend, je vader ook...'

Huib keek verschrikt opzij. 'Dat wist ik niet eens.'

'De man had nogal wat verantwoording voor zijn mensen en die kwam hij slecht na, zeker ten opzichte van de Vlaamse soldaten, zei Pieter. Dat beweren ook die Vlaamse kranten, vandaar ook die klacht.'

'Ze zullen die aantijgingen niet uit hun duim zuigen,' meende Huib. 'Ze hebben nog steeds de daders niet gevonden.'

Lubbert knikte. 'Het schijnt dat de Belgische politie het op een roofoverval wil schuiven. Het leger wil niets liever dan die zaak zo snel mogelijk afsluiten, schrijven sommige kranten, maar die Walen zitten er bovenop en willen het tot op de bodem uitgezocht hebben.'

'Niemand gelooft dat het een roofoverval is,' zei Huib langzaam. 'Mijn oom uit België schrijft openlijk dat ze de daders een medaille moeten geven.'

'Dat zei Nijs ook al. Kijk, jongen, als ik zulke verhalen hoor van mensen die je kunt bestempelen als ooggetuigen, word ik nieuwsgierig. Dan is er veel meer aan de hand dan een stompzinnige roofoverval op een hoge kolonel met tragische afloop.'

Lubbert werd nieuwsgierig, dacht Huib. Maar hij was en bleef een buitenstaander, een Nederlander, die een indringend artikel wilde schrijven in de krant. Hij kende niet de verschrikkingen van een onmenselijk front waaraan zijn vader ten onder was gegaan. Als Lubbert zijn ogen sloot zag hij niet de bommen vallen, zoals Huibs moeder die zag. Hij zag niet voor geestesoog het kleine zusje dood in de armen liggen van zijn gillende moeder, zoals Huib nog steeds zag.

'Ik heb veel gelezen over die loopgravenoorlog. Verdun, De Belgische zuidwesthoek, de Balkan, Rusland... Soldaten werden opgeofferd voor een paar centimeter landwinst, vooral in Frankrijk gebeurde dat. Al die hoge heren zijn er na de oorlog zonder kleerscheuren vanaf gekomen, terwijl de weduwen, de ouders, de verdere familie in grote nood achterbleven omdat de kostwinners weg waren gevallen. De bevelhebbers kregen een riante uitkering, de soldaten en hun nabestaanden kregen niets. Nee, daar is veel fout gegaan in de nasleep van die oorlog... Honderdduizenden jonge jongens zijn gesneuveld, honderdduizenden zijn vermist, duizenden zijn voor het leven verminkt geraakt en de gewone soldaten en hun nabestaanden zijn naderhand aan hun lot overgelaten.' Lubbert zuchtte even. 'Wij hebben daar geen weet van, wij waren neutraal in Nederland. Daar mag best eens een stukje over in het plaatselijke sufferdje verschijnen, zoals je moeder zegt. Als is er maar een die er zijn gedachten eens over laat gaan...'

Huib zweeg.

Lubbert spoedde zich weldra weg. Hij had nog veel te doen, zei hij.

Huib slenterde langzaam naar huis terug. Het was koud, dacht hij ineens, en hij was zonder een overjas de deur uitgelopen. Hij droeg alleen zijn oude colbertje dat hij altijd overdag droeg. Hij keek om zich heen. Ze waren nog een eindje weg gewandeld, hij en Lubbert. Hij begon ineens met grote stappen naar huis te benen. Het was koud en het drong nu pas tot hem door hoe koud het was.

Hij liep langs de woning van Anneke Verbaan en hij bleef, ondanks de kilte, toch even staan. De hoge heg benam hem het uitzicht op de vensters, die trouwens helemaal gesloten waren. Afgesloten van de hele wereld, dacht hij ineens. Net alsof de familie niets te maken wil hebben met de buren of met wie dan ook. Dat was ook zo, dat had Huib meer dan eens vernomen. Het gezin was sterk naar binnen gericht.

Ze bemoeiden zich nergens mee. Ze kwamen ook niet uit deze omgeving. Vijf jaar geleden waren ze hier gekomen met een jong meisje: een ouder echtpaar dat de vijftig ruim gepasseerd was. De man begon te werken in de fabriek, de vrouw was een keurige huisvrouw. Nee, de boodschappen werden meteen betaald en daar was de kruidenier heel tevreden over. Verbaan was de enige die vrijwillig meteen afrekende. Niemand betaalde de boodschappen meteen; het hele dorp kwam op vrijdag en zaterdag afrekenen. Alleen als de kruidenier vreesde voor zijn centen bedong hij contante betaling. Dat wist dan iedereen ook meteen.

Vrouw Verbaan bleef bijna onzichtbaar voor de buurt. Ze werkte thuis en ze liet zich amper zien. Het meisje werkte bij de bakker. Er moest brood op de plank komen, zeker na het ontslag van de oude Verbaan, anders hadden ze haar nog thuisgehouden, monkelde de buurvrouw. Anneke had geen vriendinnen, ze was nooit op zaterdag op straat te vinden, zoals andere jongelui. Ze was ziek, had Verbaan onlangs nog verteld. Hij was degene die nog weleens wat wilde zeggen, al was het mondjesmaat. Hij had niet eens lang geleden verteld dat ze van oorsprong van Rotterdam kwamen. In de haven, waar hij altijd gewerkt had, kon hij niet meer uit de voeten: een versleten rug. Hij kon nog wel in de textiel werken in de ververij. Dat werk kwam hem niet zo aan de botten als het zware werk in de haven.

Huib was de afgelopen dagen een paar keer langs de winkel gelopen waar Anneke werkte. Ze stond niet achter de toonbank. Er stond een ander meisje achter, een verre nicht van de bakker, zei moeder Hanne nog. Dat had de bakker verteld toen hij het dagelijkse brood kwam brengen.

Voorlopig bleef het meisje ook. Anneke Verbaan was niet erg gezien bij de bakker, had Hanne te horen gekregen. Om de haverklap ziek, de ouders te vaak over de vloer om te klagen over het vele en harde werk dat hun dochter moest doen.

Het meisje zelf was ook niet al te prettig in de omgang, beweerde de bakker. Eigenlijk was ze liever lui dan moe.

Huib had niet gereageerd op die verhalen. Hij kende de bakker ook, er moest hard worden aangepakt bij hem in het bedrijf, dat deed hij zelf ook, verkondigde hij. Als ze zo vervelend was in de omgang, waarom had ze er dan al jarenlang gewerkt zonder te worden ontslagen? Nou, over vervelend in de omgang, de bakker kon beter eens praten met zijn vrouw, die was gezellig in de winkel! Dat had hem al meer dan eens klanten gekost.

Hij wilde net verder lopen toen hij iets hoorde. De deur van de woning ging open en in het licht van de naar buiten schijnende lamp zag hij Anneke ineens naar buiten lopen, naar de put. O, dus ze lag niet in bed. Ze waren bang voor longontsteking, nou, dan liep je heus niet buiten in de kou, dan lag je onder de warme dekens. Raar, dacht hij. Of hadden al die stemmen gelijk die beweerden dat het meisje eens flinker aangepakt moest worden en niet bij elk kuchje meteen moest denken aan longontsteking?

Met grote stappen beende hij naar huis, een beetje verward, een beetje ontstemd ook en vooral teleurgesteld.

Anneke Verbaan had de man gezien, die stilstond voor het huis en de omgeving zorgvuldig opnam. Ze had hem zelfs herkend. Huib Bosschaard. De Belg, noemden zijn kameraden hem soms vriendelijk spottend.

Ze was snel weer naar binnen gevlucht. Hij had haar gezien, dacht ze paniekerig. Nu ging er vast door het dorp dat ze helemaal niet ziek was, zoals haar ouwelui beweerden.

Ze was ook niet ziek, had ze al tegen hen gezegd. Ze moesten niet altijd klaarstaan met dat smoesje, daar keken de mensen inmiddels wel doorheen. Nee, dat wisten de ouders wel, maar het was beter dat ze maar even uit het zicht bleef en niet bij de bakker werkte. Iedereen stapte de winkel binnen, vriend en vijand, bekenden en onbekenden. Je wist nooit of er ook verkeerde mensen tussen zaten.

Daar hadden ze wel gelijk in, dacht ze. Ze keek nog even langs de heg naar de straat waarover de jongeman naar huis liep. Huib Bosschaard, aardige jongen. Geen stoere, onbesuisde vent zoals zoveel anderen. Hij had haar al eens in bescherming genomen toen ze hier net woonde. Ze zou onder andere omstandigheden misschien wel belangstelling voor hem hebben.

Nee, haar ouders zouden niet accepteren dat er een jongeman voor haar over de vloer kwam. Dat kon niet, dat zou grote narigheid teweegbrengen. Ze waren al zo bangelijk. Iedere vreemde in het dorp bracht paniek bij hen teweeg.

Straks misschien, als ze eenentwintig jaar was geworden. Dat was over een paar maanden. Dan was er kans op een rustiger bestaan. Tot zolang moest ze op de achtergrond blijven.

Ze zou wel graag eens met iemand willen praten, met die Belg bijvoorbeeld, die Nijs, met de moeder van Huib Bosschaard, met Huib zelf. Maar dat kon nu niet.

Als ze meerderjarig was, kon niemand haar iets meer maken. Dan kon ze zelf beslissen over haar toekomst, over haar leven.

Nu nog niet.

6

Huib wandelde naar huis, een beetje boos, bemerkte hij verbaasd. De kletsverhalen over Anneke schenen dus werkelijk waar te zijn. Ze werd door haar overbezorgde ouders in de watten gelegd en ze liet zich ook behandelen als een kasplantje en buitte die overbezorgdheid zelfs uit door van haar werk weg te blijven.

Zijn gezicht kreeg een verbeten trek. Hij klemde zijn tanden op elkaar en keek stroef voor zich uit. Nee, dat viel hem tegen van het meisje. Het was toch geen klein kind meer, het was een volwassen vrouw. Die had een eigen mening. Die was toch wel opgewassen tegen dat betuttelende gedoe van haar ouwelui?

Tja, maar als ze dat een leven lang had ondervonden, dan wist die persoon niet beter... Het gebeurde wel vaker dat een enig kind totaal werd bedorven door de ouwelui. Het kind kon niets, het mocht niets en vooral: het hoefde niets.

Je zou zo'n vrouw als echtgenote treffen of zo'n man. Nou, dan was je gezegend voor de rest van je leven.

'Hé, staat het je niet aan?' vroeg ineens een stem over de heg heen. Huib keek opzij. Pieter Nijs had hem aangesproken. Hij stond in het donker naast zijn huis op het smalle straatje met een pijp in zijn hand. Hij deed dat vaker. In de zomerdag zat hij bijna elke avond op een stoel op het straatje en knoopte met iedereen die langskwam een gesprek aan. Hij zag ook iedereen, zelfs in het donker, want er stond een lantaarnpaal voor zijn huis.

'Je bent laat, je zou eventjes die boodschap doen, je was er zo weer, zei je,' zei een huisvrouw vaak als de man eindelijk thuiskwam. 'Zeker weer met Pieter aan de klets geweest?'

Zelfs als het eigenlijk te koud was, zoals nu, stond Pieter nog vaak een kwartiertje buiten te 'dampen', zoals hij het noemde. Zijn vrouw wilde de rook van pijp en sigaar niet in huis. Het jongste kind was zwaar astmatisch en kon er niet tegen. Pieter had er ook geen bezwaar tegen om naar buiten te gaan. Het maakte dat hij van alle kletspraat en nieuwtjes in het dorp op de hoogte was.

'Ik heb al twee keer goedenavond gezegd, maar jij schijnt niets te horen en te zien...' Na al die jaren klonk nog duidelijk de Belgische zachte g in zijn woorden. Als Pieter snel en geagiteerd praatte, was hij soms zelfs moeilijk te verstaan, dan gooide hij veel Belgische woorden door zijn spraak heen. Woorden als goesting. Zelfs Huib had al eens aan zijn moeder gevraagd wat dat woord nou eigenlijk betekende. Smaak en trek, leerde Hanne hem.

'Ik was diep in gedachten...' zei Huib afwerend.

Pieter Nijs grijnsde in het donker. 'Heb je een ogenblikje?' vroeg hij toen. 'Kom er eens even in. Ik sta min of meer op je te wachten.' Hij klopte zijn pijp uit en schoof hem onder de dakrand. Daar lag hij altijd met een zak tabak. Nieuwsgierig ondanks alles, stapte Huib achter Pieter naar binnen. Vrouw Nijs knikte hem vriendelijk toe. Ze zette alvast een mok koffie gereed om in te schenken.

'Hebben jullie Lubbert vanavond op bezoek gehad?' vroeg Pieter ronduit nadat hij in een gemakkelijke, rieten stoel was gaan zitten.

Huib knikte.

'Dat had hij niet moeten doen, maar je kent Lubbert. Tact komt niet in zijn woordenboek voor.'

'Mijn moeder is niet blij als het woord oorlog valt,' merkte Huib op. 'Ja, Lubbert is er geweest en hij vertelde dat mijn vader en jij onder die vermoorde kolonel hebben gediend.'

'Ja, en nog ettelijke tienduizenden anderen ook. Hij was lid van de generale staf.'

Vrouw Nijs zette de koffie voor de beide mannen neer. 'Sinds de moord op die kolonel heeft Pieter geen rust meer,' zei ze. 'Hij speurt alles af naar berichtgeving over die zaak, luistert avond aan avond naar de radio en vooral naar de Belgische zender.'

'Daar is het geen nieuws meer, het is al bijna vergeten, zo gaat dat met nieuws,' verzuchtte Pieter. 'De dood van de koning is veel belangrijker. Daar staan de monden niet over stil. Zijn dood komt wel erg plotseling. Een ongeluk met het bergbeklimmen.'

'Het lijkt me ook logisch dat het land op de kop staat als de koning verongelukt,' meende Huib. 'Hij was in de bloei van zijn leven. Hij was een ervaren alpinist, dan rol je toch zo niet van een berg af.'

Pieter zweeg en dronk van zijn koffie. Hij schraapte zijn keel en begon te praten. 'Kijk, de dood van de koning is jammer, het was ongetwijfeld een man van goede wil. We hebben in België wel andere koningen gehad.' Hij zette de mok weer op de tafel. 'Maar die moord op de kolonel interesseert me veel meer. Ik was vanaf het moment dat ik het hoorde benieuwd waarom die moord uitgerekend nu plaats heeft gevonden, bijna zestien jaar na de oorlog. Ik denk dat ik weet waarom.'

Huib was op slag Anneke Verbaan en haar besognes vergeten. Hij schoof een stoel bij de tafel en boog zich naar Pieter toe.

'Die Vanderheijden heeft een week voor de kerstdagen een interview aan een grote Belgische krant gegeven. Dat vraaggesprek heeft veel kritiek en woede opgeroepen in Vlaanderen en zelfs in Wallonië waren ze er niet gelukkig mee. Vanderheijden liet zich voorstaan op zijn geweldige verleden als militair. Hij had altijd hart gehad voor zijn manschappen en hen altijd voorkomend behandeld, hij had nooit enig risico genomen dat kon leiden tot onnodig veel gesneuvelde militairen, beweert hij in dat artikel. Hij beklaagde zich er dan ook over dat 'men' hem tot op de dag van dat interview belasterde en tekortdeed.' Pieter zette de mok met een bons neer. 'Nou, laat mij u een ding vertellen.'

Het klonk ineens venijnig Belgisch, dacht Huib, Pieter was kwaad.

'Zelfs de Waalse soldaten kenden de incompetentie van

de man. De kerel had geen hart voor zijn manschappen, totaal niet. Hij joeg hen de dood in zonder enige gedachte aan de mannen of hun familie. Als hij anders durft te beweren, liegt hij dat het gedrukt staat, en dat weet eenieder.'

'Leg eens nader uit.'

Pieter stond op en griste een krant tevoorschijn. Hij had hem vanuit België gekregen, vertelde hij. 'De kerel heeft zich jarenlang buiten de publiciteit gehouden en dat was ook het beste wat hij kon doen. Waarschijnlijk is hem dat na de oorlog ook dringend geadviseerd. Maar ja, een man van zijn kaliber meent zich soms te moeten rechtvaardigen, met alle gevolgen van dien. Neem die krant maar mee en lees het hele gesprek maar eens na. Ik krijg hem wel van je terug.'

Huib pakte hem wat bevreemd aan.

'Pieter zou niets liever doen dan naar België gaan om daar te praten met deze en gene. Maar hij is bang dat ze hem zelfs na al die jaren nog zullen oppakken.' Vrouw Nijs knikte voor zich uit. 'Ik ook, trouwens.'

'Ik ben stateloos,' vertelde Pieter. 'Niet iedereen weet het, maar ik ben gedeserteerd uit het Belgische leger in 1915. Ik lag bij Nieuwpoort. In de kerstnacht zongen wij kerstliederen samen met de Duitsers, de volgende dag knalden wij elkaar af. Ik kon die zinloze strijd van elkaar beschieten over en weer niet langer aan. Ik ben gaan drossen. Dat kostte mij mijn nationaliteit na de oorlog, en daar heb ik dan nog geluk mee gehad. Op desertie stond namelijk de doodstraf en onze koning ondertekende die vonnissen maar wat graag. Ik was tegen de muur gezet als ze me in die dagen te pakken hadden gekregen. Met een aantal van ons is dat ook gebeurd. Ik denk dat ik zelfs nu nog een flinke douw zou krijgen als ik me vertoonde in België. Daarom ga ik niet.'

'Ben je geen Nederlander geworden?' Huib was verbaasd. Pieter zou zonder meer de Nederlandse nationaliteit hebben verkregen in de jaren na de oorlog, dacht hij. Hij was getrouwd met een Nederlandse vrouw.

Pieter schudde het hoofd. 'Nee, dan had ik mijzelf moeten bekendmaken bij de ambassade of het consulaat. Ik heb een verblijfsvergunning en ik heb een vrouw en kinderen in dit land. De Nederlanders zullen me nooit uitleveren aan België op grond van mijn desertie van jaren geleden. Ik mag alleen niet stemmen voor uw parlement. Daar kan ik wel mee leven. Ik heb wel meer lotgenoten in dit land. Je werd alleen van desertie beschuldigd als ze je pakten, maar als je spoorloos verdween naar Nederland of een ander neutraal land, namen ze je enkel je nationaliteit af.' Hij zette zijn mok op de tafelrand en leunde achterover in de stoel. 'Maar als ik in jouw schoenen stond, ging ik weleens kijken bij mijn familie daarginds. Wie weet wat ze je kunnen vertellen over je vader. Ze weten daarginds waarschijnlijk meer dan je moeder hier.'

Huib lachte wat ongelovig. 'Man, ik ben werkloos en ik heb geen geld voor dergelijke uitstapjes.'

Pieter keek hem zwijgend aan en schudde het hoofd. 'Daar zijn wel oplossingen voor. Jans Herder heeft een klein transportbedrijf en rijdt veel op Utrecht en Breda. Als jij met hem overlegt dat je bereid bent om een handje te helpen bij het laden en lossen, ben je een heel eind in de goede richting en kost die reis je niet eens veel.'

'Pieter toch, je kunt zomaar niet van die jongen vragen om even naar België te gaan,' bestrafte zijn vrouw hem.

'Lees dat stuk en denk er eens over na,' adviseerde Pieter hem. 'Misschien verander je van gedachten.'

Huib zette zijn kom neer en stond op. Hij nam de krant mee en bedankte vrouw Nijs voor de koffie. Toen ging hij langzaam terug naar huis, diep in gedachten. Ergens in zijn achterhoofd begon iets te zingen. België... Hij was er nog nooit geweest. Hij had er zelfs nog nooit over gedacht om ernaartoe te gaan.

Hij bestrafte zichzelf, wat had hij uit te staan met die

moord op die kolonel. Wat kon hem dat schelen. Dat was een Belgische aangelegenheid. Dat mochten ze daar uitzoeken. Er zouden mensen zijn geweest die meenden redenen te hebben om die vent overhoop te schieten. Misschien was het toch een ongelukkige samenloop van omstandigheden en was de man wel degelijk het slachtoffer van een roofmoord.

Hij had wel wat anders aan zijn hoofd. Hij kon beter zijn energie gebruiken om weer aan het werk te komen. Maar ergens in zijn hoofd zeurde iets over zijn vader, die sneuvelde in de loopgraven; over zijn moeder, die zo stug werd als het om 'die oorlog' ging. Hij had een tik meegekregen, besefte hij. Die moord in België hield hem te veel bezig en het kon hem wel wis en waarachtig iets schelen...

Moeder Hanne zag de krant die haar zoon meebracht en keek fronsend naar het stuk papier onder zijn arm. 'Pieter Nijs?' vroeg ze enkel.

Hij knikte.

Egbert keek op. Hij zei geen woord, maar zijn blik was duidelijk. De spanning werd alweer voelbaar bij zijn vrouw.

De twee meisjes keken amper op, ze zaten ingespannen te luisteren naar de radio en merkten niets van de veranderende sfeer.

Opnieuw dacht Huib aan die altijd zo felle reactie van zijn moeder als de oorlog ter sprake kwam. Er waren zoveel duizenden soldaten gesneuveld en minstens zoveel werden voor altijd vermist, jonge jongens en getrouwde kerels met een gezin. Al die nabestaanden moesten verder, en gingen ook verder, met een lege zwarte plaats in het hart. Ze konden na verloop van tijd weer lachen en gelukkig zijn, al zouden ze de namen van hun dierbaren nooit vergeten.

Moeder was nooit weer gelukkig geworden, al had ze opnieuw een goede man gevonden en twee dochters gekregen. Er kleefde altijd iets van bitterheid, zelfs van haat, aan Hanne als het om 'die oorlog' ging.

Er waren mensen die iets nooit konden vergeten. Zijn

moeder was er daar waarschijnlijk een van. Het leven was voor hen niet eenvoudig, ze hadden een zware last mee te torsen.

'Ik zag Anneke Verbaan buiten lopen,' zei hij ineens om de aandacht van de krant af te leiden.

'Die heeft dus geen longontsteking,' zei Celestine meteen en draaide van de radio weg. 'Dat had ik wel gedacht. Het is een aanstelster, dat zegt iedereen.'

Huib keek wat verstoord op. Het harde oordeel van zijn zus kwetste hem. 'Nou, kom op, een beetje minder, hè? Je weet ook niet wat er precies speelt.'

'Nee, niks minder,' zei de veertienjarige Liselotte meteen en draaide de knop van de radio om. 'Anneke Verbaan heeft altijd wat. Als ze niet dood is, is ze ernstig ziek. En als ze dat niet is, is ze niet lekker. Ik hoorde vandaag vertellen dat de bakker haar heeft ontslagen.'

'Ze heeft er jarenlang gewerkt,' zei Egbert bedachtzaam. 'Dat zal de ouwe Verbaan niet aanstaan.'

'Misschien gaan ze wel verhuizen,' zei Liselotte bijna onverschillig.

Moeder Hanne zweeg nadrukkelijk, maar vader Egbert keek verwonderd op. 'Ontslag voor Anneke lijkt me amper een reden om te verhuizen, ook al heeft de ouwe man geen werk meer.'

'Ze zijn al zo vaak verhuisd,' zei het meisje op dezelfde toon. 'Ja, dat hoorde ik van Lena, die woont naast hen. Ze hebben overal al gewoond in Nederland.'

Egbert fronste de wenkbrauwen. 'Wie zegt dat? Verbaan zelf heeft me eens verteld dat hij jarenlang in Zuid-Holland heeft gewoond, in Rotterdam. Daar is Anneke ook geboren.'

'Anneke is helemaal niet in Nederland geboren,' zei Liselotte nonchalant. 'Nee hoor, ze komt uit België.'

'Hoe kom je daar nou bij?' vroeg Huib verrast. Hij kwam bijna overeind. Anneke geboren in België, net als hij? Had de familie Verbaan daar dan gewoond? Hun spraak deed dat niet bepaald vermoeden.

'Dat heb ik gehoord van Lena, die wist dat.'

Hanne keek haar man streng aan. Ophouden, zeiden die blikken. Toen dwaalde haar blik naar Huib. Ze zag hoe verbaasd, bijna geschokt hij keek. Vanwaar ineens die belangstelling voor dat meisje Verbaan? Vrouwen hadden hem nooit geïnteresseerd. Had Anneke de tere snaar geraakt bij haar zoon? Was zij die onbereikbare vrouw in Huibs gedachten waarvan Hanne ergens het bestaan vermoedde?

Nou, daar was Hanne het niet mee eens. Dat zou de familie Verbaan ook niet op prijs stellen. Als Anneke werkelijk een zwak poppetje was en zich er nog een portie aanstellerij bij aanmat, kreeg Huib er een zwaar leven bij als dat ooit wat werd tenminste. Hanne kende dat soort vrouwen wel, die mergelden een man compleet uit. Nou, Hanne zou zich wel degelijk bemoeien met die verkering als Huib ooit met die juffrouw thuis zou komen. Maak je er niet druk over, Hanne. Nergens voor nodig. Je draaft helemaal door. Huib hoort iets nieuws... Ja, en toch, die reactie was niet Huibs gewone gedrag.

Huib zweeg en zijn gedachten krioelden door elkaar. België? Dat kon toch niet? Verbaan was geen Belg en geen vluchteling. Vorig jaar moest er gestemd worden en Huib was tegelijk met Verbaan bij het stembureau. Verbaan was Nederlander...

Daar moest hij eens over praten met Pieter Nijs. Hij moest een dezer dagen toch die krant terugbrengen. Misschien wist Pieter iets meer. Die man wist overal van. Hij hoefde zijn moeder niet te vragen, die zou glashard ontkennen dat ze iets wist.

Hij kroop in de hoek van de keuken, nam geen deel meer aan het gesprek en las het interview met de kolonel die alweer bijna twee maanden geleden was vermoord. De krant dateerde van december vorig jaar, een week of drie voor de moord had plaatsgevonden.

Zonder zich bewust te zijn van de blikken van zijn moeder verdiepte hij zich in het paginagrote artikel. De man had het wel goed met zichzelf getroffen, dacht hij in eerste instantie een beetje spottend. De man had alles over voor volk en vaderland en vond het een eer te mogen sterven voor het vaderland.

Waarom had hij het dan niet gedaan? dacht Huib. Dan waren waarschijnlijk een hoop problemen opgelost.

De kolonel was van mening dat er in de grote oorlog niet hard genoeg was gevochten. De eisen aan de manschappen hadden hoger moeten worden gesteld, vooral aan die onontwikkelde boeren van Vlaanderen, die waren laf en onbeschaafd. Er was veel desertie geweest en een groot aantal soldaten had het gegooid op psychische klachten. Grote onzin, allemaal. Dat kwam allemaal voort uit aanstellerij en lafheid en zwakheid. De meeste soldaten hadden geen ruggengraat. Al die lui hadden eigenlijk tegen de muur moeten worden gezet.

Huib voelde iets van boosheid opstijgen. De man kletste uit zijn nek. Het was de laatste jaren vaak uitgelegd in grote artikelen in de krant en op de radio dat de soldaten aan het front zich niet aanstelden, maar last hadden van een zogenoemde *shell shock*. Die werd veroorzaakt door dat smerige mosterdgas, Yperiet, genoemd naar een stad in België, Ieper. Het was volop gebruikt in die oorlogsjaren en het tastte de geest en het verstand van de militairen aan. Soldaten waren er soms compleet waanzinnig van geworden.

Daar waren dokters en psychiaters het allang over eens, al tijdens de oorlog hadden bekende artsen gewaarschuwd voor dat gas en ook voor de omstandigheden aan het front. Daar kon een mens niet geestelijk gezond bij blijven.

En deze man veegde de mening van gerespecteerde artsen zomaar van tafel en noemde het aanstellerij? Wie dacht hij wel dat hij was? Wat een hufter van een vent.

Huib had nog een ander woord in gedachten, maar dat sprak hij niet hardop uit. De hoge officieren hadden weinig van de oorlog gemerkt. Die zaten veilig en wel in hun bunkers of gevorderde villa's ver van het front. Het waren de gewone mannen die in weer en wind in die natte loopgraven moesten zien te overleven. Het waren de gewone soldaten die sneuvelden en hun vrouwen en ouders vaak in grote nood achterlieten. Die kregen geen rooie cent uitbetaald.

Dat artikel zou in Vlaanderen ingeslagen zijn als een bom, vooral omdat het ook nog een Franstalige Vlaming betrof. Zelfs de Walen waren verstoord geweest over dat interview, meldden andere kranten.

De weduwen van die soldaten hadden geen recht op een pensioen, vond de kolonel. De meeste soldaten waren laffe angsthazen geweest. Die oorlog hadden ze kunnen winnen als er maar een beetje meer persoonlijke moed was getoond... Nee, dan de kolonel! Hij beroemde zich erop dat hij gewond was geraakt in de loopgraven, daarom kreeg hij een hoge onderscheiding die zelden werd uitgereikt...

Het leek er een beetje op dat de man het land in zijn eentje had gered van de ondergang, schreef de journalist verbolgen, terwijl bekend was hoeveel kritiek er op de man was geweest vanwege zijn optreden in de oorlogsjaren.

Nog geen twee weken later werd de kolonel doodgeschoten.

Inderdaad, dit interview moest honderden oud-strijders tot in hun ziel hebben geraakt. Roofmoord? Nee, dat geloofde Huib ook niet meer, niet na dit interview. Hoe durfde de vent een dergelijke arrogantie tentoon te spreiden en zijn manschappen zo naar beneden te halen, en dat zestien jaar na de oorlog?

Ze hadden na de oorlog geprobeerd hem voor de rechtbank te dagen... Dat deden ze niet voor niets. Hoe kwam hij dan aan een onderscheiding die zelden werd uitgereikt? Ja, hij had vriendjes op hoge posten, die waarschijnlijk ook de bui zagen hangen en die hem daarom afschermden.

'Interessant?' hoorde hij Egbert vragen.

Hij knikte en overreikte de krant. Het moordonderzoek was inmiddels afgesloten. De daders waren niet gevonden, dat stond ergens in een klein berichtje in de krant van afgelopen week. Konden ze de daders niet vinden of wilden ze hen niet vinden?

Huib bedacht dat het laatste weleens het geval kon zijn.

7

De volgende avond bracht hij de krant terug naar Pieter Nijs.

Hanne keek hem na. Hij ging niet rechtstreeks naar Pieter, die woonde de andere kant op, zag ze onder het schamele licht van de lantaarnpaal. Hij liep een andere weg in, een kleine omweg weliswaar, maar toch, een omweg.

Hij kan ook een frisse neus willen halen, zei ze tegen zichzelf. Niet direct overal wat achter zoeken, Hanne, hij loopt wel vaker om. Denk je nou echt dat hij om dat meisje Verbaan die omweg maakt? Hij heeft niets bij haar te zoeken. Hij komt daar de deur niet binnen, niemand komt bij die mensen over de vloer.

Hij neemt het meisje in bescherming tegenover zijn zusters, nou en? Moet dat meteen betekenen dat hij stapelgek van haar is? Zo aantrekkelijk is ze nou ook weer niet. Hij kent haar niet eens, alleen van de bakker, ze laat zich nooit ergens zien. Hanne, je moet niet overal wat achter zoeken…

Ze sloot het luik voor het hoge smalle raam aan de voorkant van de woning en ging huiverend naar binnen. Ze moest zich geen rare dingen in het hoofd halen, vermaande ze zichzelf. Het was al erg genoeg dat ze zo vroeg de luiken sloot en dat alleen omdat Huib naar buiten ging en zij hem nakeek. Ze zag Egberts wenkbrauwen omhoog gaan. Luiken sluiten, op dit uur al? Zelfs de grote lamp boven de tafel brandde nog niet.

Huib slenterde, ondanks de kilte van de avond, langs de woning van de familie Verbaan. Dit keer bleef de deur potdicht, ook de luiken waren al gesloten. De wereld kwam er niet binnen, dacht hij bijna glimlachend. Waarom sloten ze zich zo af? Je had je buren vroeg of laat nodig. Je kon ze beter een beetje te vriend houden en je niet zo afzijdig opstellen.

Maar het waren stadsmensen en die bekommerden zich niet om de buurt en om de buren. Daarom bleven ze ook buiten de dorpsgemeenschap staan. Maar als zij dat zo wensten.

Hoe oud was Anneke eigenlijk? Ze was ouder dan Celestine, zijn zuster. Die werd in de loop van dit jaar zestien en Liselotte was veertien, net geworden. Anneke was ouder dan twintig jaar en waarschijnlijk geboren voor het begin van de oorlog. In België? Ach kom, geklets van de buren. Het was bekend dat de moeder van Lena een onverbeterlijke kletskous was. Wat ze niet precies wist bedacht ze er ter plekke bij, die was aan haar eerste leugen niet ten onder gegaan. Daarbij was bekend dat ze slecht luisterde naar wat er gezegd werd. Kortom, je kon eigenlijk weinig van haar woorden navertellen. 'Dat komt zeker van Lena Stevens vandaan', dat was een opmerking die nogal eens weerklonk als er een ongeloofwaardig verhaal werd doorverteld. En dat vriendinnetje van zijn zus leek goed op haar moeder…

En toch, het was een ongewoon verhaal, maar niet onmogelijk, moest hij toegeven. Was moeder Verbaan afkomstig uit dat land? Nee, haar spraak gaf aan dat ze van het Zeeuwse land kwam en dat lag natuurlijk wel tegen België aan, zoals Lubbert Warmink beweerde, en die man, dat moest gezegd, had aardig kijk op al die dialecten.

• Langzaam slenterde Huib verder. Hij kon Pieter eens aan de mouw trekken. Pieter sprong als een bok op de haverkist als hij een landgenoot kon ontmoeten. Merkwaardige vent eigenlijk, die Pieter. Waarom werd hij geen Nederlander? Dan kon hij rustig naar België reizen. Zijn kinderen hadden wel de Nederlandse nationaliteit. Waarom hij niet?

Huib bracht de krant vandaag alweer terug. Hij had het artikel gelezen en hij was meer dan nieuwsgierig naar de achtergrond van Anneke Verbaan. De opmerkingen van zijn zusters hadden een diepe indruk gemaakt. Het ging om een meisje dat al maanden een zacht plekje in zijn hart had.

Er moest een reden zijn voor het gedrag van Anneke en de haren. Ze waren helemaal niet onaardig als je met ze praatte, maar ze meden de sociale contacten heel consequent. En toch, als er enige Belgische connecties met de familie

74

Verbaan bestonden, dan wist Pieter daarvan.

Vooruit, man, op naar die Belg.

Die begroette hem vrolijk. Nee, zijn vrouw was al weg, naar een bijeenkomst van vrouwen van de Roomse kerk. Dat was haar uitje, daar kwam niemand aan. Pieter vond dat best, hij paste wel op de kinderen. Huib was welkom.

De kinderen waren weg of lagen al in bed. Pieter grinnikte: 'Tja, als ze boven de tien jaar komen, gaan ze een eigen leven leiden. Dat heeft zijn voordelen, dan heb ik ook nog eens het rijk alleen. Het is hier soms een kippenhok, hoor.'

Hij was van katholieken huize, net als Hanne, maar zijn vrouw was het ook. Het was een klein gezin met een drietal kinderen, ondanks dat Pieter het een kippenhok noemde. Die drie kinderen, dat was te weinig, had de pastoor eens opgemerkt.

Pieter haalde er de schouders over op. Hij moest hard werken om de kost te verdienen voor zijn gezin en het loon dat uitbetaald werd was niet bepaald om over naar huis te schrijven. Dat deed hij dan ook niet, voegde hij er grijnzend aan toe.

Zo gauw Pieter het zover had dat ze hem de centen op de stoep kwamen brengen, zoals dat bij de pastoor gebeurde, ging hij ook aan het werk om de kerk aan meer zieltjes te helpen... Tot zolang moest de pastoor zijn ergernis maar voor zich houden.

De man had weinig respect voor de geestelijke stand. Dat was Huib wel vaker opgevallen bij katholieke gezinnen, die waren nogal laconiek over hun geestelijke herders. Heel anders dan bij de protestanten, daar stonden ze op een torenhoog voetstuk. Dat kon je wel zien aan de dominee waar Celestine werkte...

Pieter had wel meer van die wonderlijke fratsen, bedacht Huib. Een paar jaar geleden overleed Pieters schoonvader. Pieter en de vader van zijn vrouw waren geen vrienden. De oudere man had niks tegen Belgen, verklaarde hij, maar hij wilde ze niet in de familie en zeker niet als schoonzoon. Het was nog geen honderd jaar geleden dat die Belgen meenden dat ze zo nodig zelfstandig moesten worden. Zijn grootvader moest nog met die tiendaagse veldtocht mee naar België, niet dat hij ooit in dat land geweest was, hij was in Brabant blijven steken, maar toch.

Toen wilden die Belgen niks meer van Nederland weten, maar het was nog geen oorlog of ze kwamen met zijn allen richting de oude vijand. Meer dan een miljoen Belgen hadden in de oorlogsjaren geleefd op de kosten van de Nederlanders en die hadden zelf al niets te eten. Nee, hij had die Belgen niet hoog en hij wenste Pieter zeker niet als echtgenoot voor zijn Femia.

Het had nog een hele strijd gegeven, maar uiteindelijk was Pieter toch met haar getrouwd, zij het dat er enige haast was geboden. Vijf maanden na de trouwdag kwam het eerste kind. Hoe blij de pastoor ook met nieuwe zieltjes was, zo kort na de huwelijksdag een kind in de wieg kon hij toch niet waarderen.

De vader van Femia al helemaal niet. Toen de oude man overleed op de respectabele leeftijd van bijna tachtig jaar, kwam de begrafenisondernemer Pieter als eerste de hand schudden. 'Gecondoleerd met het overlijden van je schoonvader,' zei hij met iets omfloerste stem.

Pieter knikte en sprak de onsterfelijke woorden: 'Ik hoop dat je er nog lang getuige van mag zijn.'

Het dorp had niet willen lachen, maar het werd gniffelend verder verteld.

Pieter keek de jonge kerel tegenover zich schuin aan. Er was geen lach op zijn gezicht te zien, zijn altijd wat olijke blik was nu strak. 'Nou, wat vond je ervan?' vroeg hij, nu met een knik naar de krant.

Huib knikte enkel. 'Een arrogante bal, die kolonel.'

'Dat is nog netjes uitgedrukt.'

'Ja, ik wilde het ook netjes houden.'

Pieter vouwde de krant zorgvuldig op en legde hem in de

krantenbak naast eenzelfde soort theekastje als ook bij Huib thuis stond.

Huib staarde hem aan. 'Is zo'n stuk in de krant genoeg voor een moord?' vroeg hij.

Pieter richtte zich op. 'Als het verdriet, de vernedering en de woede al jaren in je binnenste branden over die ellendige, mensonterende tijd en je leest dan dat zo'n vent zulke beledigingen verkondigt over jou en je gevallen kameraden... Dan kan een driftig aangelegde man gemakkelijk tot razernij komen. Geloof me, jongen, er zijn er velen die nog alle dagen met die frustraties van die oorlog rondlopen. Je kent toch ook de verhalen uit die jaren, van mannen die compleet waanzinnig werden van die oorlog?'

'Je gelooft in een moord uit wraak?'

Pieter schudde het hoofd. 'Niet uit wraak, uit gerechtigheid.'

Huib zweeg. De woorden van zijn moeder: er is nog gerechtigheid op de wereld.

Pieter boog zich over de tafel. 'Heb je er nog over nagedacht om met Herder contact op te nemen? Hij moet eind volgende week naar Roosendaal. Je kunt zo mee, zegt hij.'

Huib schrok ervan en voelde een lichte boosheid in zich opstijgen. Hij maakte zelf uit of hij op pad ging of niet, dat hoefde Pieter niet voor hem te beslissen. 'Ik heb geen grenspapieren, man. Ik mag de streep niet eens over,' zei hij kort.

'Aan die papieren is wel te komen, die zijn met een paar dagen klaar.' Pieter zag geen bezwaar. Nee, hij hoefde het ook niet te betalen, dacht Huib geërgerd. Het kostte allemaal handenvol geld. Je zou moeder Hanne horen foeteren. Zelfs zijn vader zou afkeurend kijken en vragen of hij nou echt geld te veel had. Hij had geen zin in die scènes.

'Je moet het zelf weten,' verzuchtte Pieter toen. 'Maar je hebt nou de kans om er goedkoop te komen.'

'Wat moet ik er dan doen? Die moord onderzoeken, nou, daar hebben ze mij niet bij nodig. Of denk je dat mijn familie daar meer van weet?'

Pieter staarde hem een tijdlang zwijgend aan, toen knikte hij kort. 'Ik ben ervan overtuigd dat 'ze' in België meer weten. Dat heeft met die Vlaamse kwestie te maken. De Vlamingen en de Walen liggen elkaar niet, de Vlamingen zijn jarenlang achteruitgezet, vooral in de oorlog. Dat heeft het land opgebroken na die tijd en nog alle dagen. Denk maar eens aan Diksmuide en de IJzerbedevaart, die elk jaar gehouden wordt. Nee, iedere Vlaming weet wel iets meer...'

Hij stond op en schonk nog een paar mokken koffie in.

Huib voelde iets tintelen in zijn hoofd. Zou nonkel Jean inderdaad meer weten van die moord op die kolonel? Hoezo dan? Nonkel Jean was nooit aan het front geweest. Hij was de jongste van een rij kinderen en had broederdienst. Vader Corneel was net boven hem in de rij van kinderen en moest wel in dienst, hij had een van de laagste nummers geloot destijds.

Hij had geprobeerd iemand te vinden die de dienst voor hem wilde doen, dat deden meer jonge kerels, maar de prijs die de remplaçant bedong kon hij niet ophoesten. Als Jean wist hoe het in elkaar stak, had iemand hem dat stiekem verteld. Wilde hij dat geheim dan wel kwijt aan een buitenlandse neef, Vlaamse kwestie of niet? Nee, hij zou zwijgen als het graf.

Ach kom nou, Huib, geen theorieën over samenzweringen en dergelijke. Nonkel Jean is maar een keuterboertje die houdt zich niet bezig met politiek.

Ineens bedacht hij wat. Als hij naar België ging, kon hij meteen eens navraag doen naar Anneke... Man, hou op, waar moet je beginnen? Het is geklets van die zussen van hem... 'Zeg, Nijs, ik heb een rare vraag,' zei hij ineens tegen de rug van Pieter.

'Zo?' Pieter draaide zich half om.

'Ken jij die mensen van Verbaan? Ik hoorde gisteravond dat die dochter Anneke in België geboren zou zijn.'

Pieter zette de mokken op tafel. Hij ging zitten en keek de jongeman tegenover zich een tijdlang aan. 'Heb jij belangstelling voor dat meisje?' kwam het ronduit. 'Dat heeft geen zin, jongen, zoek liever een ander...'

Huib voelde iets warms over zijn wangen glijden. Hij was blij dat de lamp niet te veel licht gaf.

Pieter praatte rustig verder alsof die opmerking niet gemaakt was.

'Ja, ik heb ook zoiets vernomen. Ik heb de ouwe er zelfs een jaar geleden naar gevraagd. Het is niet waar, zei hij.'

Huib knikte enkel. Net wat hij dacht, geklets van de mensen.

Huib dronk peinzend van de koffie. Pieter keek hem glimlachend aan. 'Kun je zwijgen?' vroeg hij ineens.

Huib knikte verwonderd. Natuurlijk, en dat wist Pieter ook wel.

'Ik heb rare jaren achter de rug door die oorlog en hier in Nederland was het ook niet altijd gemakkelijk voor me,' begon Pieter langzaam. 'Ik had geluk dat ik vrij snel trouwde met een Nederlandse vrouw, daardoor kreeg ik een permanente verblijfsvergunning. Een heleboel andere Belgen werden Nederland uitgezet, zelfs zij van wie men wist dat ze in België gevaar liepen omdat ze in 1914 gedeserteerd waren.'

Huib staarde hem bevreemd aan. Waar wilde Pieter op aan?

Pieter knikte hem toe. 'Ik ben een jaar geleden naar het gemeentehuis gestapt. Ik was daar toch al kind aan huis vanwege al die paperassen die ik om de zoveel tijd moet invullen voor die verblijfsvergunning. Ik ken die ambtenaren inmiddels een beetje. Ik kon bij hen wel aankloppen met een paar vragen die eigenlijk niet gesteld mogen worden. Ze hebben me ook netjes antwoord gegeven. Het echtpaar Verbaan heeft zelf geen kinderen, het meisje is een aangenomen dochter. Ze heet eigenlijk anders, maar dat is niet belangrijk. Anneke is inderdaad geboren in België, in Antwerpen. Ze is wel familie van de ouwe Verbaan. Haar moeder en vrouw Verbaan zijn zusters. Annekes ouders zijn jong overleden, Anneke is toen naar Nederland gekomen. Dat is het hele verhaal.'

Huib gaf geen reactie. Hij was bijna teleurgesteld. Was dat alles? Het meisje was opgegroeid bij een oom en tante en voor het gemak werd de achternaam als Verbaan aangehouden. Dat gebeurde wel vaker. Een klasgenoot van Huib was ook opgegroeid bij een oom en tante en had ook de achternaam van de oom aangehouden, dat was eenvoudiger, vond iedereen, dan wist je waar het kind thuishoorde. Men wist natuurlijk wel beter. Trouwens, die knaap had er nog bijna last mee gekregen toen hij wilde trouwen, hij gaf als achternaam de naam van zijn oom op en hij bleek bijna onvindbaar in de burgerlijke stand. Een ambtenaar van het bevolkingsregister moest opheldering verschaffen.

Nou, dacht Huib, moest daar dan geheimzinnig over gedaan worden? Hij vroeg het hardop.

Pieter keek hem terzijde aan. Ja, jij hebt belangstelling voor dat meisje, anders vroeg je niet naar haar. Dat kan narigheid geven bij je moeder en niet alleen bij haar. Maar je mag dit weten over het meisje en dan weet je voorlopig meer dan voldoende.

'Als ik jou was, Huibrecht, zou ik willen weten wat mijn vader heeft beleefd aan het front, hoe hij daar is omgekomen. In België liggen een heleboel antwoorden, ook wat betreft de moord op de kolonel.'

Huib haalde de schouders. 'Mijn moeder zal er niet blij mee zijn.'

Pieter grinnikte. Maar met een ernstig gezicht zei hij: 'Ga toch maar naar België. Dat is goed voor iedereen, voor je moeder, voor jezelf; het is ook goed voor de familie Verbaan.' In gedachten voegde hij eraan toe: die lui moeten eens rust krijgen in hun leven. Ze moeten eens frank en vrij om zich heen kunnen kijken zonder angst...

Het was bijna negen uur toen Huib weer thuiskwam. Hij was weer langs het huis van Verbaan gelopen en hij had gemerkt dat alles donker was. De familie lag al onder de wol. Diep in gedachten was hij verder gelopen. Dus de buren hadden gelijk, Anneke was in België geboren. Nou en, wat was daar voor bijzonders aan? Hij was er ook geboren.

Had Verbaan er een hekel aan om dat te vertellen? De verstandhouding tussen België en Nederland was niet vriendelijk, zeker niet gedurende de oorlogsjaren. En toen België na de oorlog eiste dat Zuid-Limburg en Zeeuws-Vlaanderen bij België zouden worden gevoegd vanwege de grote schade die het land had geleden, was die helemaal niet plezierig.

Zelfs Hanne en Huib hadden gemerkt dat sommigen in het dorp hen op die Belgische eis aankeken.

Trouwens, Nederland liep ook niet over van fijnzinnigheid, toen de regering meteen een forse rekening stuurde aan de Belgische overheid vanwege de opvang van de vele Belgen in de oorlogsjaren.

Een jaar of acht geleden was het verdrag met België over de aanleg van een kanaal van Antwerpen naar de Rijn getorpedeerd door de Eerste Kamer. Dat was maar goed ook, want het had enorme schade toegebracht aan de haven van Rotterdam. Dat zo'n stelletje leden van de Tweede Kamer dat niet inzag. Eerst moest er een soort burgercomité gevormd worden onder leiding van een ingenieur van waterstaat, Anton Mussert, dat een hoop trammelant schopte voor de heren in Den Haag wakker werden.

Regelrecht gevolg was de oprichting van die partij van Anton Mussert. Nu leek die nieuwe partij een groot aantal zetels in de kamer te gaan winnen. Dat zou helemaal niet zo slecht zijn. De Nederlandse regering gedroeg zich alsof het volk volslagen achterlijk was.

De armoede, de werkloosheid, de vele bekakte visies die via de radio werden gespuid over het vinden van werk, streken velen tegen de haren in. Die lui hadden gemakkelijk praten, zij waren allemaal van deftige afkomst, hadden gestudeerd en waren verzekerd van een dik inkomen. Die mensen hadden geen flauw idee van het leven van een arbeider.

De gewone man, die moest krabben om rond te komen, die een huis vol kinderen had en zijn werk verloor, had niet veel vertrouwen in dat soort lui. Een nieuwe partij, nieuwe beloftes, waar waarschijnlijk ook niets van terechtkwam, maar die beloftes maakten wel dat veel mensen liever die nieuwe bestuurders zagen dan de oude. En in die Mussert zagen veel mensen toch wel iets van een nieuw elan. De man zei goede dingen over de werkloosheid en de economie... Maar eens afwachten hoe dat verder ging, dacht Huib en hij stapte naar binnen.

Toen hij de deur achter zich sloot, dacht hij nog even aan die woning waar alles zo donker was. Anneke was in België geboren, dochter van een zuster van vrouw Verbaan. Was de familie werkelijk zo vaak verhuisd, zoals Liselotte beweerde? Het leek alsof ze bij Verbaan iets te verbergen hadden. Was dat misschien ook zo?

De volgende dag kwam een dorpsgenoot binnenwandelen met de vraag of Huib hem even kon helpen met een paar klusjes. Het zou ruim een week duren alles bij elkaar.

Huib stemde toe en zag hoe zijn moeder de wenkbrauwen fronste. Nee, die was het daar niet mee eens, de man was slecht van betalen, daar stond hij om bekend. De kruidenier leverde hem geen goederen meer en zelfs de kerk had jarenlang geen bijdrage meer ontvangen ondanks alle beloftes dat het achterstallige geld meteen zou worden betaald. Als je hem helpt, kun je fluiten naar je centen, zeiden Hannes blikken. Huib begreep het.

Hij staarde de man aan. 'Joes, ik heb graag dat wij meteen de prijs afspreken en dat je mij vooruitbetaalt,' zei hij losjesweg. 'Je weet dat ik werkloos ben; ik heb het geld hard nodig.'

De man keek hem aan. 'De prijs afspreken is goed, maar vooruitbetalen? Waarom?'

De meeste mensen zouden eromheen draaien, dacht Hanne ongerust. Eigenlijk verwachtte ze dat ook van haar zoon. De man leek zo eerlijk, hij keek je zo vol vertrouwen aan, maar er waren heel wat mensen in het dorp die nog geld van hem moesten hebben en niet alleen de leveranciers van levensmiddelen.

'Ik ben goed van betalen, hoor,' verzekerde de man.

Huib staarde hem zwijgend aan. Dat ben je niet, zeiden zijn blikken. De man werd onrustig. Hanne bleef gespannen afwachten.

'Ik had gedacht aan tien gulden voor het werk,' bood de man aan.

'Uitstekend,' zei Huib en stak zijn hand uit om tien gulden in ontvangst te nemen.

'Ik heb het niet bij me,' zei de man ontwijkend.

'Nou, dan breng je het toch in de loop van de dag. Ik begin eraan zo gauw het geld binnen is.'

De man knikte wat beduusd en maakte zich uit de voeten.

'Die komt niet weer terug,' zei Huib zonder opzien. Hij rekte zich uit en grijnsde naar zijn moeder, die opgelucht ademhaalde. Hanne was toch bang geweest dat Huib zou toestemmen.

'Ik ga even weg,' zei hij toen onverwacht. 'Even wat spulletjes inslaan.'

Hanne knikte gerustgesteld. Ze keek hem na toen hij wegslenterde, de handen in de broekzakken. Toen ging ze zwijgend weer aan het werk. Er was genoeg te doen voor de aardappelen dampend en wel op tafel stonden.

Huib liep de ijzerhandel binnen waar hij vaak kwam. 'Moi,' groette hij naar de baas, die achter de toonbank bezig was een klant te helpen.

De baas groette terug en richtte zich naar de man voor de toonbank. 'Als je het over de duvel hebt, trap je hem op zijn staart. Daar komt hij net binnenkuieren. Vraag het hem maar eens…'

De man draaide zich om. Huib kreeg een lichte schok. Het

was Verbaan, de vader van Anneke, nee, de oom.

De man draaide zich snel om. 'Ach, het heeft geen haast,' mompelde hij.

'Wat heeft geen haast?' vroeg Huib kalmpjes.

Verbaan maakte een gebaar, maar de winkelier grinnikte. 'Hij heeft een radio gekocht, maar hij zit met de aansluiting in de kamer. Er moet een elektriciteitsdraad getrokken worden.'

'Nou, als dat alles is? Wanneer zal ik even langskomen? Je hebt niks aan een radio die op de kast staat zonder te spelen.'

Verbaan knikte wat schielijk.

'Zal ik even na de middag langskomen?' vroeg Huib. Hij was eigenlijk wel nieuwsgierig hoe het er bij de familie uitzag. Wie weet zag hij Anneke ook...

De man knikte aarzelend en had haast om de winkel te verlaten.

'Vreemde mensen, niet slecht, maar wel vreemd,' merkte de winkelier nog op en Huib knikte enkel.

Inderdaad, ze gedroegen zich soms merkwaardig. Waarom deden ze dat? Ze trokken zo de aandacht van iedereen. Maar dat maakte niet uit, vanmiddag ging hij ernaartoe. Toch eens zien of Anneke echt ziek was of niet.

8

Bij het middageten merkte Huib terloops op dat hij die middag weg was. Hij had een klusje op te knappen. Hij was voor het avondeten wel weer terug.

Hanne keek verbaasd op. 'Er is niemand aan de deur geweest,' zei ze nog.

'Dat werd me gevraagd in de winkel. Ik moet even naar Verbaan...' Hij merkte niet de snelle ongeruste blik die van Hanne naar Egbert ging. Verbaan? Wat moest hij daar? Hanne vroeg het hardop. 'Een draadje trekken voor een nieuwe radio,' legde hij uit.

Het bleef stil.

Het viel Huib niet eens op. Hij at verder en luisterde naar het gekwek van zijn zusters, die het nodige te vertellen hadden over vriendinnen en andere kennissen. Hij merkte ook niet dat Egbert wat stiller werd, net als zijn moeder.

Even na de middag zocht hij wat gereedschap bij elkaar en slenterde naar de familie Verbaan.

Hanne keek hem na, een tikkeltje ongerust. Er zou toch geen opmerking vallen die Huib aan het nadenken bracht? Die jongen piekerde de laatste tijd al zoveel...

Ze wilde hem graag de ellende van die oorlogsjaren besparen, maar kon dat nog wel na die moord op die kolonel? Hij was er zo mee bezig en Pieter Nijs leek het vuurtje nog een beetje op te stoken ook. Egbert geloofde niet dat Huib gevrijwaard zou worden van het verleden, die had daar nooit in geloofd, hij had al jarenlang gezegd: er komt een dag, Hanne... Maar hopelijk was die dag nog ver in de toekomst.

Nee, Hanne, nou niet overal zwarte beren waarnemen. Waarom zou Huib geen hand- en spandiensten verrichten bij de familie Verbaan? Hij deed het bij iedereen die erom vroeg.

Maar toch, de onrust bleef woelen bij Hanne.

Telkens als er een stukje over België in de krant verscheen, was het oppassen dat er niet te veel gezegd werd. Het had erom gespannen bij die geschiedenis met die vermoorde kolonel. Hanne had zich bijna versproken met die ondoordachte opmerking, die recht uit het diepste van haar ziel kwam: er was nog gerechtigheid in de wereld.

Ze had Pieter Nijs op het hart gedrukt voorzichtig te zijn. Pieter had het wel begrepen, maar hij had toch een opmerking gemaakt die Egbert ook steeds maakte. 'Ge blijft het niet voor, vrouw Maatman,' had hij gezegd. 'Die zoon van u gaat vroeg of laat op stap. En het kan beter vroeg zijn.'

'Niet zolang ik het tegen kan houden...' had ze koppig gezegd, maar hoelang hield ze het nog tegen?

Pieter Nijs had haar zwijgend aangezien en het hoofd geschud. Nu ging Huib naar Verbaan. Niemand kwam daar ooit binnen de deur. Nee, ze moest zich geen zorgen maken. Huib wandelde ernaartoe voor een klusje, meer niet.

Verbaan wachtte hem al op bij de buitendeur en fluisterde dat zijn vrouw een middagslaapje hield. Huib maakte toch niet te veel lawaai?

Huib knikte. Nee, hij zou niet te veel hameren en kloppen, dacht hij grinnikend.

Waar was Anneke? Lag die ook in bed? Werd het gerucht nog steeds in leven gehouden dat zij op de rand van longontsteking lag?

Huib knikte en vroeg waar de radio moest komen.

'In de voorkamer,' zei Verbaan haastig.

'Niet in de woonkeuken waar iedereen altijd zit?' wilde Huib verbaasd weten.

'Nee, nee, in de voorkamer, daar zit de familie bijna altijd na het avondeten,' merkte hij nog op.

Huib haalde de schouders op. Zoals Verbaan wenste, dacht hij. Hij liep naar de aangewezen deur en opende die voor Verbaan er was. De kilte sloeg hem tegemoet. Zaten ze alle avonden in de kou in plaats van in de behaaglijk warme keuken?

In een flits zag hij iemand vanuit zijn ooghoeken de keuken uit glippen en naar het aangrenzende deel verdwijnen.

Anneke, zag hij. Maar hij zweeg en ging aan het werk. Het waren zijn zaken niet en als de familie vragen opriep door hun wonderlijke gedrag, was dat hun probleem en niet het zijne, dacht hij. Hij voelde nog iets van de teleurstelling over die geruchten dat Anneke ziek zou zijn terwijl ze buiten bij de put stond. Waarom werd daarover gelogen?

Huib, ze doen maar. Het zijn jouw zaken niet.

De radio moest op het dressoir komen te staan, er moest een stopcontact komen naast de deurpost naar de slaapkamer, zodat daar de stekker ingestoken kon worden. Een draadje werd keurig langs de plinten geleid vanaf een ander stopcontact. Binnen een uur was Huib klaar en de radio speelde een keurig en helder deuntje zonder enige storing en gekraak.

Wat de familie eraan vond om in de koude kamer te zitten om naar de radio te luisteren, begreep hij niet. Er werd niet gestookt in deze kamer, daarvoor was het er veel te koud. Ze zouden hier 's avonds zitten rillen. Maar goed, dat was hun aangelegenheid.

Hij pakte zijn gereedschap weer bij elkaar, rekende af met de oude man en stapte naar buiten. Voor de prijs die hij hen rekende konden ze geen elektricien laten komen, maar hij had nog geen mok koffie aangeboden gekregen, dacht hij wat grimmig. Het waren geen hartelijke mensen. Man, word nuchter alsjeblieft, vergeet die rare gevoelens van je. Zoek een aardige meid waar het goed mee huizen is. Laat dit meisje met rust, ze kan en wil niet anders, dacht hij toch terneergeslagen.

Hanne schonk hem koffie in zo gauw hij thuiskwam en naast de kachel schoof. 'Ik had wel gedacht dat je bij die mensen geen koffie zou krijgen,' zei ze luchtig en opgelucht tegelijk.

'Het zijn merkwaardige mensen,' zei hij nadenkend. 'Anneke vloog meteen naar de deel toen ik binnenkwam. Waarom dat nou nodig was? Maar ze kunnen vertellen wat ze willen: Anneke is niet ziek, die is zo gezond als een vis.'

Hanne reageerde niet. Hij dronk zijn koffie op en stond op

om naar de schuur te lopen om zijn gereedschap weg te leggen.

Ze keek hem na. Daar bleef hij nog wel hangen tot etenstijd, dacht ze. Hij had vanmorgen de potkachel al aangemaakt en die zou nog wel liggen gloeien. Ze glimlachte toen ze na enkele minuten de eerste rook uit de kleine schoorsteenpijp zag komen.

Vooruit, Hanne, je hebt nog een heleboel te doen, zei ze tegen zichzelf en stond op. Ze was nog niet bij het fornuis om het eens flink op te poken toen de deur achter haar openging. In de veronderstelling dat het Huib was die even weer binnenkwam om wat te zeggen of te halen, keek ze niet eens op.

'Vrouw Maatman,' zei een zachte stem.

Hanne schrok op en keek om. Haar wenkbrauwen gingen omhoog. 'Zo?' vroeg ze langzaam.

'Ik ben bang dat er net iets verkeerd is gegaan.'

'Verkeerd gegaan, hoezo?' vroeg ze neutraal.

'Nou, Huib was bij ons en hij zag mij verdwijnen naar de deel.' Anneke Verbaan schuifelde voorzichtig naar binnen.

'Dat was niet erg snugger van je,' gaf Hanne toe. 'Het is hem namelijk opgevallen, hij heeft het net verteld.'

Het meisje knikte. 'Mijn vader zag dat ik in de keuken zat in plaats van in mijn slaapkamer. Daarom liet hij Huib de radio in de voorkamer aanleggen.'

Hanne schoot bijna in de lach. 'En nou staat de radio zeker ook nog verkeerd,' zei ze.

Het meisje knikte.

Hanne boog zich voorover. 'Je vader raakt te gemakkelijk in paniek en doet dan domme dingen,' zei ze met klem. 'Het kan geen kwaad dat je in de keuken was.'

Anneke zuchtte diep. 'Mijn vader is bang, we zijn allemaal bang.'

'Je had niet weg hoeven lopen,' zei Hanne kalmpjes. 'Hij heeft je van de week ook al gezien bij de put. Dat zei hij meteen toen hij terugkwam, hij en heel veel anderen denken immers dat je ernstig ziek bent...'

Anneke knikte zwijgend.

Hanne schudde het hoofd. 'Tja, je moet het allemaal zelf weten, maar je haalt je op die manier wel het nodige geklets op de hals.'

Er werd iets gemompeld. Hanne verstond het niet en deed geen moeite om het te verstaan. Zij liep naar het fornuis en roerde in een pan.

Het bleef stil achter haar rug.

'Anneke,' zei Hanne kalmpjes en ze keerde zich om met de pollepel in de hand. 'Je hoeft voor Huib niet bang te zijn. Hij brengt je niet op straat, hij kan zwijgen als het graf. Maar jullie gedragen je zo merkwaardig dat het aandacht trekt, en niet alleen van Huib. Dat heb ik je vader ook verteld.'

Anneke knikte. 'Daarom ben ik ook gekomen. Het wordt tijd om open kaart te spelen en volgens mij kan het nu ook. Over enkele weken word ik eenentwintig, dan kunnen we in alle openheid onze eigen gang gaan.'

Hanne knikte instemmend. 'Tot op zekere hoogte, jongedame, tot op zekere hoogte. Voorzichtigheid blijft geboden. Maar ik denk wel dat het geen kwaad kan als je Huib iets over jezelf vertelt. Hij is in de schuur. Ik zal hem roepen. Vertel gewoon wat er is gebeurd met jou in het verleden...' Hanne keek het meisje rustig aan, Anneke knikte, ze had het begrepen. 'Niet te veel in details treden, dat is niet nodig. Ik moet nog boodschappen halen. Koffie staat op het fornuis. Dus ga je gang maar.' Ze schoot in haar mantel, nam de portemonnee uit de kast en liep naar buiten, naar de schuur.

Anneke bleef bevend zitten. Wat moest ze? Weglopen, ben je mal? Je hebt a gezegd, nu moet je ook b zeggen.

Het duurde niet eens lang of de deur werd geopend met een forse zwaai en ging met een redelijke harde klap weer dicht.

'Zo, Anneke Verbaan.' Huib kon zijn onrust maar moeilijk in bedwang houden. Hij had nog nooit tegenover het meisje gezeten, ze was hier nog nooit binnen de deur geweest, voor zover hij wist. Het was een mooi meisje, dacht hij nu hij haar van zo'n korte afstand gadesloeg. Mooi, donker haar, mooie ogen.

Hij voelde iets trillen in zijn lijf toen hij haar aankeek. 'Is er iets niet goed met de radio?' vroeg hij licht spottend. Hij zweeg over het gerucht dat ze ziek zou zijn. 'Wat is er aan de hand?' wilde hij ten overvloede weten. 'Waarom ben je hier? Het is uitzonderlijk dat je zomaar op bezoek komt, niet-waar?'

Ze haalde diep adem. 'Ik wil iets toelichten.'

'Waarover? Over je overhaaste vlucht naar de andere kant van het huis? Dat gaat mij niet aan...'

'Dat wil ik toch graag toelichten.'

Huib wachtte af. Hij zag haar zoeken naar woorden.

'Ik heb je al vaak langs ons huis zien wandelen. Ik heb een tijdlang gedacht dat je dat deed omdat je moeder je daartoe opdracht gegeven had.'

Zijn mond viel open. 'Wat zeg je me nou? Mijn moeder?' Hij schoot bijna in de lach. Hanne zou hem vertellen dat hij de familie Verbaan in de gaten moest houden? Waarom zou ze dat willen? Het idee alleen al.

'Je zult toch wel iets weten over ons?' zei Anneke kalm-pjes.

'Ja, dat je ontslagen bent bij de bakker omdat je zo vaak ziek bent, zogenaamd ziek bent...' Hij kon het niet laten die opmerking te maken.

Ze glimlachte en legde haar handen op de tafelrand. 'Je moeder is compleet op de hoogte van mijn verleden en dat van mijn familie.'

Hij staarde Anneke bijna met open mond aan. 'Wat?' bracht hij uit. Hij was uit het veld geslagen. Niet omdat ze in de gaten had dat hij een beetje te vaak langs haar huis liep. Zou ze in de smiezen hebben waarom hij daar langsliep? Nee, want dan was die opmerking niet gemaakt dat hij dat deed op verzoek van zijn moeder.

Maar vooral die opmerking dat zijn moeder precies op de

hoogte was van hun verleden en hun situatie? Wat was daar dan mee? Was dat verleden belangrijk?

Het enige wat hij wist, was dat Anneke in België was geboren en een aangenomen kind was. Nou ja, aangenomen, Pieter had gezegd dat ze was opgenomen bij een oom en tante in huis nadat haar ouders waren overleden. Dat kon je geen aangenomen kind noemen.

Hij zei het hardop en zag haar zwijgend knikken. Wat Pieter had verteld, scheen dus te kloppen. Anneke was in Antwerpen geboren, ze was een Belgische, net als hij.

'Mijn vader is gesneuveld aan het front.' Ze zweeg verder.

'Mijn vader ook,' zei hij rustig. 'Bij Diksmuide aan het front.'

'Mijn vader officieel bij Nieuwpoort. Mijn moeder stierf een paar jaar later van verdriet, ze kon het niet verwerken. Mijn moeder was Nederlandse, zij en vrouw Verbaan zijn zusters. Ik werd in een weeshuis in Antwerpen opgenomen en ik ben daaruit weggehaald door mijn oom en tante. Dat was niet naar de zin van de leiding van het weeshuis en het was ook een beetje tegen de wet in België.'

'Maar dat is toch niets om geheimzinnig over te doen?' zei hij verbaasd. 'Er zijn veel meer kinderen die wees werden door die oorlog en daarna zijn opgenomen door familie. In jouw geval zat er toevallig een grens tussen, nou en? Mijn moeder vluchtte met mij in 1914 naar Nederland, mijn zusje stierf door een bombardement. Mijn vader was toen al aan het front...'

Ze glimlachte wat triest en schudde het hoofd. 'Ik ben illegaal in Nederland. Ze zoeken me nog steeds in België.'

Hij keek haar verwonderd aan. 'Illegaal in Nederland, hoe kan dat?' herhaalde hij.

'Er zijn een aantal Belgische weeskinderen na het vredesbestand naar het buitenland vertrokken; volgens de Belgische overheid werden ze ontvoerd door buitenlanders. Het waren Vlaamse weeskinderen en hun ouders werden ervan beticht dat ze in de oorlog Duitsgezind waren. Die nagelaten kinderen hadden geen leven in die weeshuizen en daarom werden ze naar het buitenland gebracht door goedwillende mensen. Maar ze verbleven illegaal in Nederland en Zwitserland.'

'Ze zoeken jou toch niet meer na zoveel jaar? Ik kan me voorstellen dat de Belgische overheid vlak na de vrede een paar jaar heeft gevraagd om de terugkeer, maar na zestien jaar maakt ze zich daar toch niet meer druk over?'

'In mijn geval wordt er nog steeds naar mij gezocht. Dat is door de jaren heen wel gebleken. Ik moet altijd op mijn hoede zijn. Daarom ben ik zo vaak zogenaamd ziek, dan is er weer een vreemdeling gezien in het dorp.'

'Moet je op je hoede zijn voor de Belgische overheid? Dat kan ik me niet voorstellen. Misschien is er familie in België die officieel is aangesteld als jouw voogd en die wil dat je terugkomt? Dan stuur je toch even een briefje dat je dat niet wilt?'

Ze schudde het hoofd. 'Zo eenvoudig ligt het allemaal niet. Nederland wilde destijds geen narigheid, koos voor de gemakkelijke weg en stuurde de meeste kinderen terug. Ze had trammelant genoeg in die dagen met het buurland, denk maar eens aan de Belgische aanspraken op Limburg en Zeeuws-Vlaanderen als schadeloosstelling voor al het oorlogsleed. Ik ben al die jaren illegaal in Nederland gebleven. Daarom zijn we vaak verhuisd. Mijn vader, mijn oom dus eigenlijk, heeft meer dan eens geïnformeerd of ik in Nederland kon blijven, officieel geadopteerd kon worden, kortom, alles is geprobeerd, maar er was geen enkele medewerking van de Nederlandse overheid. Vanwege die ontvoering, denk ik. Dat is een strafbaar feit...'

Huib zag het probleem niet. Hij begreep het ook niet. Oorlog was een rare tijd, waarin dingen gebeurden die onder normale omstandigheden nooit zouden zijn voorgevallen. Maar dat telde nu niet meer, zoveel jaren later.

'Ik denk dat jullie problemen zien die er helemaal niet zijn. Er is waarschijnlijk ooit eens een ambtenaar geweest die een navraag heeft gedaan en jullie zijn in paniek geraakt. Niemand in Nederland zal je het land uit zetten. Daar moet een goede reden voor bestaan.'

Ze schudde opnieuw het hoofd. 'Ja, Huib, die reden is er. Ik ben al die jaren illegaal in Nederland geweest. Dat mag nu eenmaal niet.'

'Je staat gewoon ingeschreven bij de gemeente...'

'Ja, als dochter van het echtpaar Verbaan. Maar ik ben een nichtje met een andere nationaliteit. Ik ben steeds tussen de mazen van de wet door geglipt omdat de burgerlijke stand en het bevolkingsregister twee verschillende afdelingen zijn, die lang niet altijd op elkaar afgestemd zijn. Een jaar of tien geleden zou ik zijn opgepakt als mijn ouders niet midden in de nacht waren vertrokken met mij. Ze hebben advocaten geraadpleegd en die zeiden dat ik inderdaad terug zou worden gestuurd naar België. Daar zou ik geen leven hebben gehad...'

Hij fronste de wenkbrauwen. Dat was de tweede keer dat ze het beweerde. Waarom zou ze slecht behandeld worden? Omdat die ouders zogenaamd Duitsgezind waren? Daar kon het kind toch niets aan doen? Was dat niet overdreven?

Er was Huib wel iets bekend over een taalstrijd in zijn geboorteland en dat de Vlamingen en de Walen elkaar niet zo lagen, maar dat had niets te maken met het beweerde feit dat Anneke geen leven zou hebben daarginds, meende hij.

'Ik word over een paar weken eenentwintig, dan kan ik het Nederlanderschap aanvragen...'

'Meerderjarig,' knikte hij.

'We hebben de laatste jaren rustig kunnen wonen. Dat hebben we te danken aan Pieter Nijs en aan je moeder. Toen wij hier kwamen, ging Pieter mee naar het gemeentehuis om ons in te schrijven. Niemand vroeg iets, beter gezegd, niemand legde een verband tussen een gezocht weesmeisje uit België en de familie Verbaan in Nederland. Het was je moeder die ons hiernaartoe haalde.'

'Kende mijn moeder jou en je familie?'

Ze slikte iets weg. 'Mijn vader en jouw vader lagen beiden aan het front, ze kwamen uit dezelfde omgeving in Vlaanderen en hadden dezelfde denkbeelden...' Ze keek hem aan met grote ogen. 'Jouw vader en mijn vader kenden elkaar maar al te goed,' zei ze half verstaanbaar.

Daar had hij even tijd voor nodig. Hadden zijn vader en de hare bij elkaar in de loopgraven gelegen? Ja, dat moest het zijn. Dat schiep een band, dacht hij, daarom zou moeder Hanne de Verbaans naar het dorp hebben gehaald. Hier vroeg niemand iets, als een mens zich tenminste normaal gedroeg. En daar ontbrak het bij Verbaan nog weleens aan.

Hij zat nog aan de tafel toen Hanne terugkeerde en Anneke alweer terug was gegaan naar huis. Moeder had wat uit te leggen, dacht hij.

Er schoot iets door zijn hoofd. Hij wilde ineens naar België. Het idee had hem eigenlijk al geplaagd sinds die moord. Hij was nieuwsgierig geworden naar het leven dat zijn vader geleid had, aan het front en zelfs voor die tijd. Hij zou ineens die omgeving willen zien waar zijn vader de laatste maanden van zijn leven had moeten doorbrengen. Hij zou willen zien waar zijn vader en moeder geleefd hadden, hij zou de graven willen zien van zijn zusje en van zijn vader... Het ging om zijn naaste familie.

Hij dacht aan de woorden van Pieter Nijs, die hem niet met rust hadden gelaten. De man had gelijk: hij was nu werkloos en hij had de tijd en de mogelijkheid om die reis te maken. Als hij weer een baan vond, kwam het er niet van.

Ben jij mal, jij gaat helemaal niet naar België. Je krijgt de grootste narigheid. Je moeder springt uit haar vel en je vader zal vragen of je je centen niet beter kunt gebruiken.

En toch? Hij zou nu willen gaan. Hij was verwonderd over zijn eigen gedachten. Wilde hij werkelijk naar zijn geboorteland? Hij had nooit naar België getaald, goed, hij was er geboren, maar verder... En nu zou hij ernaartoe gaan vanwege een of andere kolonel die vermoord was? Hij had daar niets mee te maken. Of gaf het verhaal van Anneke de doorslag? Was het toeval dat haar vader en de zijne elkaar kenden? Ze kwamen uit dezelfde omgeving. Huib dacht dat zijn vader wel veel meer mannen in het leger had gekend. Het Belgische front was niet zo groot en breed, Diksmuide en Nieuwpoort. In die contreien lagen de Belgen ingegraven, de Britten en de Fransen lagen verderop, bij Ieper. Ja, allebei de mannen waren gesneuveld, toeval? Er waren duizenden anderen gesneuveld in diezelfde tijd. In die grote oorlog was een complete generatie jongelui afgeslacht. Annekes verhaal was niet uniek, het zijne ook niet.

Man, ga eens harder achter werk aan. Zijn moeder had er al een opmerking over gemaakt. Hij kon weleens wat meer energie steken in het vinden van een baan, vond zij. Jaap, zijn kameraad, had werk gevonden in een textielfabriek in Almelo. Kon hij daar ook niet naartoe?

Ja, dat werk had drie weken geduurd, toen stond Jaap weer op straat. Daar had je wat aan, hij had nog moeten soebatten om zijn geld mee te krijgen.

Zelfs Egbert was het eens geweest met zijn stiefzoon. Dat soort werk had geen zin. Huib bracht nog best geld binnen. Hij deed nogal wat karweitjes voor deze en gene. Hij had vorige week nog bijna een weekloon bij elkaar gewerkt.

Maar het gaf geen enkele vastigheid, betuigde Hanne. Daar had zij weer gelijk in, want deze week was er weinig tot niets te repareren geweest; dat klusje bij Verbaan had niets te betekenen.

Hij keek op toen de deur openzwaaide en zijn moeder binnenkwam. Haar ogen speurden zijn gezicht af. Nee, hij keek zoals altijd.

Gisteravond had ze nog een halfuur lang met Egbert zitten praten. Ze was zo bang dat de jongen naar België zou willen, had ze gezegd.

'Hanne, het is een volwassen man. Ooit zal die wens komen: ik wil weten waar mijn vader is gesneuveld. Dat blijf jij niet voor, Hanne. Het gaat om zijn vader.'

'Zolang ik het kan voorkomen...'

'Word wakker, vrouw. Er wordt een hoge pief vermoord en Huib zit er opeens bovenop. Hij heeft nog nooit naar Pieter Nijs omgekeken en nu loopt hij er twee keer per week naartoe. Als Pieter eens wat nader vertelt over het leven in die loopgraven, komen de vragen los. Daar ben ik van overtuigd.'

Ze knikte. Ze wist het ook wel en ze besefte ook dat haar eigen houding bijdroeg aan de nieuwsgierigheid van haar zoon.

Nu zat hij bij haar aan de tafel, onverstoorbaar als altijd, zo leek het. Anneke had het nodige verteld. Ze had het meisje aangehouden op straat en ernaar gevraagd. Ze had toch niet het achterste van haar tong laten zien? Nee, dat had Anneke niet gedaan, maar er zouden vragen komen die ze voor een groot gedeelte kon omzeilen, althans voorlopig.

Zolang hij maar niet naar België ging.

Hij knikte op de vraag of hij nog koffie wilde. Hanne zette hem met een bons een mok koffie voor de neus. Ze begon te rommelen in de boodschappentas en borg het gekochte op in de diepe kast in de hoek van de keuken.

Huib dronk zijn koffie op, schoof de mok terzijde en zei ineens kalm: 'Ik vind dat het eens tijd wordt dat ik de Belgische familie leer kennen. Ik ga naar België.'

Hanne sloot de ogen. Daar had je het al, nog veel vroeger dan ze verwachtte. 'Hoe kom je daar zo onverwacht bij?' vroeg zij gemaakt kalm. 'Komt het door het verhaal van Anneke?'

Huib keek haar even stroef aan. 'Ook,' merkte hij kort op. 'Laten we zeggen dat het de doorslag heeft gegeven. Ten eerste kan het nu, ik ben ontslagen op de fabriek...'

'Ja, en je deed er verstandiger aan om naar werk te zoeken,' snibde Hanne. Ze besefte dat het een foute opmerking was. Begin niet zo, dan bereik je precies datgene wat je wilt voorkomen, zei ze tegen zichzelf.

Huib deed alsof hij de opmerking van zijn moeder niet

had gehoord. 'Ten tweede,' zei hij rustig. 'Die moord intrigeert me nog steeds. Daar zit meer achter dan iedereen denkt...'

Hanne kneep de lippen op elkaar. Daar had hij niets mee uit te staan...

'En ik wil de Belgische familie leren kennen. Ik heb ze nog nooit ontmoet.'

Hanne wilde opstuiven. Ben je nou helemaal, waar zit je verstand? Dat gebeurt niet. Maar ze zweeg en bleef verstard zitten.

Egbert had gelijk. Ze bleven het niet voor. En nu was er de gelegenheid; dat kon ze niet ontkennen. Hij kon weg, hij had geen werk, geen uitkering en dus ook geen verplichtingen om alle dagen te komen stempelen bij het arbeidsbureau zoals zoveel werklozen in het hele land moesten doen, soms zelfs twee keer per dag.

'Het kost handenvol geld,' probeerde ze nog. 'Me dunkt, je hoeft al je spaarcenten niet te spenderen aan de vakantie. Wij zijn maar gewone arbeiders.'

'Ik kan er heel goedkoop komen met Herder, de transporteur. Hij heeft met een goeie week een lange rit naar Roosendaal.'

Er viel een stilte.

'Het enige wat het me kost, is een paspoort en een paar centen voor de trein in België. Daar zal ik niet failliet van gaan.'

Er kwam geen reactie.

Ineens leunde hij voorover en vroeg, rustig als altijd: 'Wat zit je nu werkelijk dwars, moeder? Die paar centen die het gaat kosten? Waarom ben je er zo op tegen dat ik naar België ga? Ben jij bang dat ik daar wil blijven? Die kans is zo goed als nihil.'

Hanne schrok op. Hij heeft het in de gaten, dacht ze paniekerig. Als hij naar België gaat, zal hij alles te weten komen... Dat is niet te voorkomen.

Dan zal hij het begrijpen, misschien wel te veel. Als deze

zoon van haar, die kalme, bedaarde, onverstoorbare Huib, in aanraking komt met zijn familie en die licht hem in, wat gaat er dan gebeuren? Stel dat die onverstoorbaarheid eens werd verbroken. Dan kon haar zoon weleens een vuurspuwende vulkaan worden...

9

Huib had zijn besluit genomen, hij ging naar zijn geboorteland en hij wist vanaf het eerste begin dat het een goed besluit was, ook al had hij een afkeer van reizen en trekken.

Moeder Hanne legde zich er nog niet helemaal bij neer, maar ze was toch voorzichtig. De jongen had al vaker gemerkt dat ze wel erg fel was op haar oude vaderland. Hij had al meer dan eens de vraag gesteld waarom ze zo'n aversie koesterde tegen België.

Ze keek hem moedeloos na toen hij de volgende dag meteen op stap ging om de reis mogelijk te maken. Hij stapte naar het gemeentehuis voor een aanvraag van een grensdocument, en naar Herder, de transporteur, om te overleggen over de reis.

Ze kon er niets tegen ondernemen. Ze had geweten dat het ooit zou gebeuren. Maar ze hoopte dat het nog jaren zou duren en dat het misschien pas kwam als ze er niet meer zou zijn. Dat was haar niet gegund.

Hanne moest toegeven dat de tijd inderdaad gunstig was voor zo'n reis. Later, als hij ooit weer werk zou hebben – en dat was toch te hopen – en zou trouwen, werd alles anders.

Egbert was verstandiger en nuchterder. Die had alleen maar geknikt en zwijgend ingestemd met de plannen. Huib was een volwassen man en hij wist wat hij deed. Bovendien was hij een stabiele vent, die tegen een stootje kon.

De zussen waren uitgelaten. Hun broer ging helemaal naar België. Naar het buitenland. Niemand van hen was daar ooit geweest, waarbij ze gemakshalve vergaten dat moeder en Huib daar vandaan kwamen. 'Ze denken dat het gras rood is in België en de lucht zwart,' bromde moeder Hanne.

Ze zouden zo mee willen, riepen ze uitgelaten, maar dat ging niet. Zij hadden hun werk. Zelfs dat baantje bij de dominee telde mee. Dat verhulde niet dat Hanne ondertussen bijna wenste dat de jongen getrouwd was, dan kreeg hij niet zulke plannen in zijn hoofd. Ze kon hem niet beschermen voor een harde tik, besefte ze. Misschien had ze hem vanaf zijn jeugd te veel afgeschermd en te veel ontzien…

Een week later haalde hij zijn paspoort van het kleine politiebureau in het dorp. Hij kletste nog een tijdje met de veldwachter, die hem een goede reis toewenste.

'Nee, moeder Hanne had liever niet gezien dat ik op reis ging,' vertelde Huib nog toen de veldwachter opmerkte of zijn moeder soms ook meeging. Zij kwam uiteindelijk uit België.

Ach, ja, moeders, die zagen altijd allerlei hindernissen en bezwaren op elke straathoek. Het was ook een hele onderneming, stemde de agent in. Hij zou zich ook even achter de oren krabben als een van zijn kinderen met die plannen voor de dag kwam. Maar toch, hij begreep waarom Huib zijn familie wilde opzoeken. Hij gaf hem gelijk. Hij kon het nu nog doen. Er konden tijden komen dat het nog veel erger werd met die crisis. De toekomst zag er niet best uit en de regering volhardde in een fout beleid, zei de agent nog.

Huib overwoog nog een ogenblik om bij de man te informeren wat de consequenties waren om illegaal in Nederland te verblijven. Daar was de politie toch van op de hoogte. Wat had dat precies te betekenen? Waarom was die eenentwintigste verjaardag zo belangrijk voor Anneke? Kon ze dan een eigen verblijfsvergunning aanvragen via België? Maar hij praatte er niet over. Je moest geen slapende honden wakker maken.

Hij dacht aan zijn moeder, die het zeker niet op prijs zou stellen als hij met vreemden over Anneke zou praten. Zelfs de zussen waren niet op de hoogte van het bezoek van Anneke.

Hanne had dagen rondgelopen met een strak gezicht. De meisjes kenden dat gezicht wel: moe had 'het' weer. Ze trokken er zich niet te veel van aan.

Ze had al een brief naar Jean gestuurd zonder dat Huib het wist. Probeer het verleden voor te blijven, Jean… Als het enigszins kan.

Dat zou hij proberen, wist ze, maar of hij het ook kon? Egbert glimlachte haar toe. Hij verzweeg dat hij had gemerkt hoe ze avonden had liggen piekeren naast hem in bed. Hij begreep haar zorg, haar verdriet, maar Huib was dat kind van zes jaar niet meer. Het leven zou hem in de toekomst wel vaker een stevige rekening presenteren, meende hij. Dat overkwam iedereen.

'Hij heeft recht op de kennis van het verleden,' zei hij tegen zijn vrouw. 'Het is beter dat hij zelf ontdekt wat oorlog betekent dan dat hij het van anderen moet horen. De zwarte kanten van een front, de vieze streken van officieren en andere manschappen, de modder, de kou, de uitzichtloosheid van een slagveld, de dood. Hoe dat een mens kan vernietigen, hoe mensonwaardig het eigenlijk is...'

Huib zou het te weten komen in België en het daar beter beseffen dan hier. Daar was Hanne nou net zo bang voor. Maar ze gaf zich over. Ze kon niet anders.

Een paar dagen voor zijn vertrek vroeg Hanne hem om even naar de bakkerswinkel te gaan en roggebrood te halen. De bakker had vergeten roggebrood mee te brengen op zijn ronde. Hij wilde het wel komen brengen, maar Hanne had het afgewimpeld. 'We halen het wel even uit de winkel,' had ze gezegd. 'Huib wil toch nog even het dorp in voor een boodschap.'

Dat klopte, hij wilde nog even naar de elektriciteitszaak voor een paar snoertjes en een lampje. Misschien had de winkelier nog een klein klusje, zoals dat bij Verbaan vorige week. Dat kwam geregeld voor. Natuurlijk, hij ging met liefde langs de bakker, zei hij grinnikend. Hij was blij dat zijn moeder in de lach schoot.

Er waren nog drie klanten voor hem toen hij de winkel binnenstapte. De bakkersvrouw stond ijverig te praten met een klant zonder op de andere klanten te letten, die zuchtend en kuchend probeerden wat meer haast achter de beëindiging van het gesprek te zetten.

Het gesprek ging over Anneke Verbaan, merkte hij tot zijn verwondering. Zijn gezicht betrok. Nu hij het meisje beter kende, waren zijn gevoelens weer opgevlamd, en hij kon het slecht hebben dat er in negatieve zin over het meisje werd gesproken.

Hij droomde soms van haar. Hij had het gevoel dat ze een stuk dichterbij was gekomen, al bleef ze even onzichtbaar als voor haar onverwachte bezoek aan zijn huis.

De klant was tevreden over haar geweest en ze miste het meisje in de zaak, zei ze. Ze hielp snel en vriendelijk en kende haar zaakjes. De vrouw van de bakker hief haar vinger in de lucht. 'Nou, Anneke Verbaan beviel helemaal niet, altijd ziek, ze was ook niet geschikt voor de winkel,' zei ze afkeurend. 'Praatte te veel met de klanten, was soms ronduit onvriendelijk…'

Er klonk een korte kuch. De klant zweeg maar en betaalde. Zij bemerkte dat ze de boel stond op te houden. De andere klanten werden nors en zonder veel aandacht geholpen en Huib kreeg twee priemende ogen op zich gevestigd. 'Ja?' kwam het kort.

'Een half roggebrood,' zei hij even kort.

De vrouw smeet het brood op de toonbank en griste naar het grote boek om het bedrag in te schrijven. Huib keek haar koeltjes aan. 'Over vriendelijkheid gesproken, is dit de nieuwe aanpak in de winkel? Ik krijg het brood bijna naar mijn oren gesmeten. Anneke Verbaan was veel vriendelijker in de winkel en ze was beslist geschikt voor het werk. Trouwens, als ze er niet voor deugde, waarom werkte ze hier dan jarenlang?' vroeg hij kil.

'Wil je dat brood hebben of niet?' bitste de vrouw. 'Ik heb meer te doen dan kletsen over de toonbank.'

'Dat zou je anders vijf minuten geleden niet zeggen,' merkte hij bijtend op. 'En nee, houd dat brood maar,' voegde hij er boos aan toe. 'Ik ben geen hond die om een stukje worst bedelt. Ik wil fatsoenlijk geholpen worden. Ik ga wel even naar de andere bakker. Ik zal het mijn moeder ook zeggen dat ze beter de roomse bakker kan nemen voor het brood. Je bent een klant kwijt en ik zal niet de enige zijn als je zo doorgaat.'

Hij beende met grote stappen de winkel uit. Bij de deur keek hij om. 'Als je dit brood durft op te schrijven in dat boek, maak ik er politiewerk van.'

De vrouw keek hem woedend na en smeet het boek op de toonbank. Het deerde Huib niet. Hij was een beetje verbaasd over zichzelf en zijn gedrag. Hij was woedend, merkte hij. Het ging om Anneke. Hij pikte het niet dat er zo over haar gesproken werd.

Moeder Hanne knikte enkel toen hij thuiskwam met roggebrood van de andere bakker. Ze was het wel met hem eens. De bakker had wel vaker narigheid met zijn klanten, vooral zijn vrouw had regelmatig aanvaringen in de winkel. Die stond niet gunstig bekend. Degenen met wie ze goed kon opschieten, hadden geen klachten, maar de andere klanten werden soms ronduit geschoffeerd. Het had de bakker al meerdere klanten gekost.

Egbert nam de pijp uit de mond en zei dat ze in het vervolg maar naar de andere bakker moesten gaan. Brood was brood en rooms brood werd niet gebakken, alleen wit en bruin.

's Avonds kwam de bakker zelf aan de deur. Zijn vrouw had dat allemaal niet zo bedoeld, zei hij. Maar ze zaten lelijk onthand nu Anneke was ontslagen en het familielid dat hen zou voorthelpen, liet het ook afweten. Het meisje was na enkele dagen met een heftige scène vertrokken.

Geen wonder, dacht Huib. De vrouw staat te kletsen en te roddelen en ondertussen staan de klanten te wachten. De bakker zou zijn vrouw eens moeten bijbrengen wat dienstverlening betekent. Ze zijn afhankelijk van wie de winkel binnenkomt. Beseft die vrouw dat niet?

Hanne gaf toe, ze wilde de bakker toch niet voor het hoofd

stoten; zijn brood was goed en hij was al jaren hun bakker. Ze streek zich nog eens over het hart, zei ze. Maar het was wel de laatste keer, waarschuwde ze.

Huib deed nog een duit in het zakje. Het was niet verkeerd van de bakker om nog eens te gaan praten met Anneke Verbaan en haar ouwelui. Anneke was haar geld wel waard. Als die in de winkel stond, waren er minder klachten.

De bakker keek zuinig. Anneke was veel ziek, bromde hij toen. En hij had ook al meer dan eens horen vertellen dat ze zogenaamd ziek thuis was terwijl anderen haar buiten hadden zien lopen.

Huib zweeg. Dat waren geen roddels, dat was waar. Daar had de bakker wel een punt. Hij had het zelf ook gezien en Anneke had gezegd dat ze dat deed omdat er vreemden in het dorp rondliepen. Maar daarom was het toch niet nodig om je ziek te melden als je dat niet was?

'Het meisje kun je nog wel hebben, anders had ik haar niet zo lang aangehouden, maar die ouwelui,' bromde de bakker een beetje bedeesd. 'Die zijn een bezoeking. Dat vindt het meisje ook; dat heeft ze weleens gezegd.'

'Ze zijn wel erg bezorgd,' stemde Egbert in.

De bakker knikte instemmend. 'Ja, en dat terwijl het een aangenomen kind is.'

'Hè?' Huib veerde op van zijn stoel. 'Hoe weet je dat?' vroeg hij. Het ging aan hem voorbij dat zijn ouwelui elkaar strak aankeken. Hanne werd bleek en keek voor zich. Ze had zich niet vergist, dacht ze. Huib heeft een zwak voor dat meisje, dat heeft hij waarschijnlijk al langere tijd. Moet ik me zorgen gaan maken?

'Ja, zij is geboren in België, dat staat op haar papieren. Volgens mij heeft ze zelfs de Belgische nationaliteit, net als… eh…' Hij maakte een hulpeloos gebaar in de richting van Hanne. 'Ik heb gehoord dat zij haar ouders op jonge leeftijd verloren heeft. Haar moeder schijnt een dame met geld te zijn geweest. Er schijnt iets te zijn met een erfenis en zo.'

Huib fronste zijn wenkbrauwen. Merkwaardig, wat was

dat voor een verhaal? Erfenis? Annekes moeder een dame met geld? Het was toch een zuster van vrouw Verbaan? Die zag er niet naar uit dat ze geld als water had.

'Zoals jij het vertelt, bakker, is het een oorlogswees-kind. Hoe moeten die kinderen aan geld komen? Dat geloof je toch zelf niet?' vroeg Hanne. Het leek alsof ze benieuwd was en gespannen zelfs. Het bevreemdde Huib niet. Moeder werd altijd gespannen als het woord oorlog viel. Bovendien was ze volledig op de hoogte van Annekes achtergrond, had Anneke gezegd. Vader Egbert ook, want die bleef rustig grote rookwolken de keuken in blazen en zei geen woord.

De bakker haalde hulpeloos de schouders op. Hij wist het ook niet, zei hij, hij had het van horen zeggen.

Huib zweeg ook maar.

'De mensen weten altijd meer dan je denkt,' zei hij langzaam toen de bakker, dankbaar voor de behouden klandizie, vertrokken was.

Hanne antwoordde niet, Egbert evenmin.

Ze hadden overal gewoond, had Anneke verteld, schoot het door Huib heen. Anneke had gezegd dat ze alles hadden geprobeerd, advocaten, overheden, maar ze was en bleef illegaal in Nederland. Waarschijnlijk zouden ze al langere tijd min of meer op de vlucht zijn voor de gerechtelijke arm. Misschien was daar al dat geld wel aan opgegaan, als het allemaal waar was. Maar dat geloofde Huib niet. Geld deed wonderen, vooral als er genoeg was. Dan was Anneke allang legaal in Nederland geweest.

Hadden ze een rookgordijn opgeworpen toen er praatjes begonnen rond te gaan, dacht hij.

Wie weet, als hij nou eens via nonkel Jean voorzichtig informeerde in België? Nonkel Jean zou de autoriteiten niet informeren, als hij tenminste dezelfde gedachten had als moeder over de oorlog en de gevolgen. En van dat laatste kon Huib vrij zeker van zijn, dacht hij.

De avond voor zijn vertrek liep hij nog langs het huis van Anneke, ging brutaalweg naar de deur en klopte aan. Het duurde even voor de deur werd geopend, maar tot Huibs eigen verrassing werd hij binnengenood.

Vrouw Verbaan zat aan de keukentafel en Verbaan luisterde naar de radio in de koude kamer. De man kwam na een tijdje verkleumd binnen en warmde zijn handen bij het fornuis.

Huib schudde het hoofd en stond op. 'Heb je een schroevendraaier en wat krabbetjes?' vroeg hij kort.

De man knikte. 'Maar de radio staat wel goed zo...' begon hij.

'Niet zeuren, Verbaan. Heb je een stallantaarn bij de hand? De elektriciteit moet er even af en ik heb toch wat licht nodig. Je bent half vernikkeld in die kamer. Het is maar een halfuurtje werk, misschien nog niet eens. Maak het maar gezellig, dames, even een kaarsje aansteken,' merkte hij jolig op. 'We moeten het een halfuurtje zonder de geneugten van de moderne tijd stellen.'

Dat was de nieuwste mode, stond er in de krant. 's Avonds was het zo knus naar de radio luisteren bij een brandend kaarsje. Dat scheelde ook geld voor elektriciteit.

'Ze zijn niet goed snik bij de krant,' mopperde Hanne. 'We zijn juist zo blij met dat schone licht. Die walmende kaarsen en die petroleumlampen, praat me er niet van. Er komen hier geen walmende kaarsen op de tafel, al is het nog zo gezellig.'

Huib was binnen een halfuur klaar en de radio stond netjes op een klein tafeltje in de hoek naast het fornuis en hij speelde ook zijn deuntje. 'Dit is toch veel prettiger, man,' bromde hij toen Verbaan aarzelend toegaf dat het wel een vooruitgang was.

'Ik heb die andere draad laten zitten, als je nou van de zomer in de kamer wilt zitten kun je de radio zo meenemen...'

Ze knikten dankbaar. Ze boden hem nu zelfs een mok koffie aan.

'Ik ga morgen naar België,' zei hij enkel.

Het werd stil, hij hoorde hoe de koffiekan op het fornuis werd gezet. Verbaans handen trilden zichtbaar op de rand van de tafel.

'Je hoeft niet bang te zijn voor mij. Ik zal je geen narigheid bezorgen. Ik wil naar Diksmuide, daar is mijn vader omgekomen.'

Ze zwegen nog steeds, zelfs Anneke was bleek geworden. Vrouw Verbaan kuchte kort. 'Huib, praat er alsjeblieft met niemand over. Anneke is ons zo dierbaar en als ze Nederland moet verlaten, zouden we het niet overleven...'

Hij herinnerde zich ineens haar woorden: ik zou geen leven hebben in België. Waarom niet? Dat begreep hij eigenlijk niet. Haar vader was een gevallen soldaat voor het vaderland, daar bestond groot respect voor. Waarom hadden ze hem aangewreven dat hij Duitsgezind was, alleen omdat hij Vlaming was? Dat was grote onzin. Veel Vlamingen wilden in die oorlog niets van de Duitsers weten, dat had moeder meer dan eens gezegd. Maar het was wel koren op de molen van die Walen.

Hij keek het meisje aan, haar weerbarstig krullende haar, haar grootse schoonheid. Haar heldere, bruine ogen. Hij keek iets te lang en zij keek terug. Verbaan en zijn vrouw merkten het niet, ze waren te bang en te bezorgd.

Huib ging weg en Anneke bracht hem naar de deur. 'Huib, kom alsjeblieft niet weer. Mijn ouders zijn zo bang... Ik weet dat ze vannacht geen oog dicht zullen doen.'

'Anneke, ik begrijp een ding niet. Je had deze hele toestand al tijden geleden kunnen oplossen door te trouwen, al was het uit berekening. Dat had een stuk rust gegeven voor je familie. Als jij trouwt, word je automatisch Nederlandse. Hebben jullie daar nooit over gesproken? Is er nooit een vent geweest die dat voorgesteld heeft?'

Gelukkig niet, dacht hij zelf.

'Daar is een huwelijk niet voor bedoeld, Huib,' zei ze gedecideerd.

'Nou, je zou de mensen de kost moeten geven die om nog heel andere redenen trouwen. Het is niet allemaal rozengeur en maneschijn wat er op het gemeentehuis voor de ambtenaar komt te staan. Wie zegt trouwens dat zo'n huwelijk niet werkt? Met een beetje goede wil van beide kanten kom je een heel eind.'

Anneke zweeg. Nee, niemand had ooit zo'n voorstel gedaan. Ze had er zelf ook nooit over nagedacht.

'Luister eens, Anneke. Ik ben met een goede week terug. Denk eens na over de mogelijkheid van een huwelijk met een Nederlandse Belg, ja, met mij.'

Ze werd lijkbleek, hij zag het zelfs in het schrale licht van de gang. Ze schudde het hoofd. 'Nee, dat kan niet,' fluisterde ze.

'Ik zou niet weten waarom niet,' vond hij koppig. 'We zijn geen van beiden getrouwd, tenminste, ik niet. Jij toch ook niet?'

Ze schudde het hoofd en sloot de deur haastig achter hem toen hij naar buiten stapte. Hij blies langzaam zijn adem uit. Je bent nog gekker dan gek, dacht hij. Hoe kom je erbij? Je hebt nog nooit aan een trouwring gedacht. Waar wil je in deze tijd van trouwen, je hebt geen werk, geen huis, geen geld. En dan met een meisje dat je niet eens kent.

Je moeder springt over het huis heen van kwaadheid, zelfs je vader zal je op je nummer zetten. Ze zullen je voor gek verklaren, nou ja, dat doe je zelf ook al.

Met grote stappen liep hij naar huis en zweeg in alle talen over het bezoek aan de familie Verbaan en vooral over zijn eigen drieste voorstel aan het meisje, dat hem al langere tijd vanuit de verte aantrok als een magneet. Maar diep in zijn hart vond hij het voorstel helemaal niet zo gek...

Toen hij op de ochtend van het vertrek voor dag en dauw naar buiten liep omdat Herder toeterde vanaf de straatweg, hield Hanne hem nog even tegen. 'Huib, een ding wil ik je nog zeggen: je gaat nu naar België, je zult meer horen over je vader dan ooit tevoren, maar vergeet nooit dat je een vader hebt gehad om trots op te zijn. Dat zal nonkel Jean je ook vertellen. Onthoud dat vóór alles.' Ze had haar wijsvinger opgestoken naar hem.

Hij keek haar verwonderd aan. Vreemde opmerking, wat bedoelt ze daarmee, dacht hij, maar toen knikte hij en stapte snel in de hoge cabine van de vrachtwagen.

Ze reden langs de woning van de familie Verbaan en zagen nog net hoe Anneke de luiken opende. Huib slikte even en dacht aan zijn voorstel van de vorige avond. Was hij gek of zwaar verliefd? Misschien beide wel. Het was waarschijnlijk wel goed dat hij even helemaal weg was uit het dorp. Dan konden de gemoederen tot bedaren komen, bij hem, bij zijn ouwelui en bij de familie Verbaan.

10

In Gent stapte Huib uit de trein en keek wat benauwd om zich heen. Het was al laat in de middag, het liep naar zes uur, en hij besefte dat hij moe was. Hij was vanaf vanmorgen zes uur al in de benen en hij had stevig aangepakt vandaag.

Hij stond midden op het station Gent Sint Pieters en hij voelde zich volkomen ontheemd. Hij was nog nooit in zo'n grote plaats geweest.

Hij kende geen mens, iedereen schuifelde gehaast langs hem heen, niemand bekommerde zich om hem.

Hij was in de grote stad, dacht hij prozaïsch. In het kleine Twentse dorp was allang iemand naar hem toe geslenterd met de vraag: 'Zeker vreemd hier?'

Hij had een lange reis achter de rug met de transporteur Herder. Hij had geholpen met lossen en laden alsof hij nooit anders had gedaan. Herder was meer dan tevreden over de jongeman geweest. Hij nam vaker reizigers mee, maar meestal was hij blij als ze uitstapten. Het speet hem zelfs toen hij Huib voor het station van Roosendaal afzette. Ineens vertelde hij dat hij binnenkort weer deze kant op kwam, iets wat hij meestal niet aan andere reizigers vertelde.

Als Huib mee terug wilde, moest hij het maar even laten weten per telefoon of met een telegram. Dat was altijd goedkoper dan de treinreis. Herder keek niet op een dag om met een vracht naar het zuiden te rijden, als het maar binnen veertien dagen was.

Huib knikte dankbaar en liep naar het station. Hij had drie keer gevraagd of het de goede trein naar Antwerpen en Gent was. Hij las dat er een andere plaats op het aangegeven bord stond en daar moest hij niet naartoe. Men verzekerde hem dat deze trein in Gent stopte en dat hij er dan gewoon uit kon stappen.

Uiteindelijk was hij netjes aangekomen in de Belgische stad. Hier zou nonkel Jean hem opwachten, maar hij kende de man helemaal niet.

Nou ja, als hij de man misliep, kwam hij ook wel in het dorpje waar hij zijn moest. Hij was nu zo ver gekomen, dat laatste stukje zou ook wel lukken. Hij had het adres in zijn binnenzak, hij kende de taal en hij had de mond bij zich.

Hij pakte zijn kleine, rieten koffertje op en keek om zich heen. Nee, zo'n grote plaats met al dat krioelende volk was niets voor hem. Hij verlangde nu al terug naar dat dorp in Twente.

Hij vond het al te druk bij een voetbalwedstrijd op zaterdagmiddag. Daarom ging hij ook zelden naar het voetbalveld. Hij zat liever in het schuurtje thuis.

Hij glimlachte en haalde diep adem. Het was een gemakkelijke reis geweest. Hij had zijn ogen uitgekeken toen ze door de grote steden reden. Apeldoorn, Utrecht, Breda. Hij had nog maar zelden in een auto gezeten en dan meteen zo'n eind.

Herder was blij met de aanspraak en praatte honderduit. Huib bromde soms iets terug, maar keek meestal om zich heen, zich verbazend over wat hij zag. Grote rivieren, grote plassen water, weilanden met diepe sloten als afscheiding en dan weer hele stukken bos.

Ook de treinreis naar Gent ging zonder problemen en nu stond hij op het grote station van de stad. Een niet heel grote man kwam recht op hem af. 'Huib Bosschaard?' vroeg een donkere stem met een zwaar accent.

'Nonkel Jean?'

'Helemaal,' grijnsde de ander en hij stak zijn hand uit. 'Ik hoefde mij niet af te vragen wie ik hebben moest. U bent sprekend uw vader, al bent u een hoofd groter.' Er volgde een wat trieste glimlach.

De man was een half hoofd kleiner dan Huib, maar hij trok hem aan de arm mee naar de uitgang. 'Wij moeten een bus halen,' verduidelijkte hij.

Ja natuurlijk, Huib moest niet verwachten dat de nonkel een eigen 'voiture' had, zoals ze dat hier noemden.

Het was niet ver lopen. Binnen enkele tientallen meters

stonden ze bij een bus, die blijkbaar op hen wachtte, want de chauffeur maakte een gebaar van instappen.

'U wordt bedankt voor het wachten,' zei Jean opgelucht. 'Anders hadden wij een uur in de kou en in het donker gestaan.' De chauffeur lachte vriendelijk. Ze kenden elkaar, begreep Huib.

De bus was lang niet vol. Jean bleek een aantal passagiers te kennen. 'Ja, dit was een zoon van mijn broer Corneel, ge weet wel, hij woont in Nederland, net als mijn schoonzuster Hannelore.'

Huib zag sommige monden verstrakken. Waarom, dacht hij? Je hebt een vader om trots op te zijn, onthoud dat, jongen. Hadden die strakke monden daar iets mee uit te staan? Wat was dat dan?

Hij staarde naar buiten en luisterde niet meer naar het gezellige taaltje. Hij zag niet veel, het was inmiddels donker, hij zag in de ramen alleen zijn eigen spiegelbeeld. Langs de weg stond een enkele lantaarn, die wat licht verspreidde en soms een huis bescheen. De meeste ramen waren donker, hier en daar scheen het licht van een lamp naar buiten. De straatlantaarns gaven weinig licht.

Het landschap was eender aan dat van Nederland, dacht hij, het moest even plat zijn. Alleen in het oosten waren bergen en heuvels, de Ardennen.

Nou ja, honderd jaar geleden was het ook één geweest met Nederland, totdat die Belgen zelfstandig wilden worden. Daar hadden ze ook gelijk in, ze werden achteruitgeschoven door de Noordelijken en telden amper mee, terwijl ze wel de centen meebrachten. De goede baantjes waren voor de Hollanders, de Belgen mochten alleen maar betalen. Nederland was straatarm en had een lege schatkist. Tja, dat was honderd jaar geleden. De schatkist was nu allesbehalve leeg, maar als je de ministers hoorde praten leek het alsof er niks in zat.

Twintig jaar geleden kwamen de Belgen met zijn allen de grens over. Volgens de krant waren ze niet erg dankbaar voor de opvang. Maar Huib had wel andere geluiden gehoord. De Nederlanders waren ook niet erg fatsoenlijk geweest tegenover de vluchtelingen. Het was zoals altijd: de waarheid lag in het midden.

Hij was in België en een vreemd gevoel overviel hem. Was het verstandig geweest om die reis te ondernemen? Had hij niet beter…

Die strakke monden van dat echtpaar waar nonkel Jean mee aan de praat was. Wat betekende dat? Hij kon het dialect amper verstaan. Hij hoorde de vrouw zeggen: 'Jean, de jongen is welkom, dat was hij al lange jaren, dat weet u. Ge zult hem mee moeten nemen naar Diksmuide en alles vertellen wat daar is gebeurd, daar heeft hij recht op…'

Huib slikte iets weg. Diksmuide, de oorlog, het front. Hij hoopte daar het graf van zijn vader te vinden.

Ja, daar wilde hij naartoe. Daarvoor was hij ook gekomen.

Huib werd hartelijk en enthousiast ontvangen door zijn familie. Ondanks het toch al late uur zaten ze op hem te wachten met een complete maaltijd en een huiskamer vol visite: de vrouw van nonkel Jean, tante Anna, nog twee nonkels en hun vrouwen en zelfs wat nichten en neven. Ze woonden allemaal in dit kleine stadje of in de directe omgeving.

'Hier is hij dan,' kondigde Jean aan. 'Onze cousin uit Holland. Huibrecht van Hanne en Corneel.'

'Precies onze Corneel,' zei een oudere man. 'Alleen een halve kop groter. Jongen, laat mij u eens bekijken.'

De vrouw van Jean wreef in haar ogen. Nog geen uur geleden had ze opgemerkt tegen de familie die al was gearriveerd: 'Huib moet ook even naar de zuster van zijn moeder, die woont in Antwerpen. Zij zal hem zo gaarne willen zien.'

De familie had donker gekeken. 'Daar ben ik niet van overtuigd, Anna,' zei een van hen dreigend. 'Ik zie daar eerlijk gezegd het nut ook niet van in. Ge weet hoe Hanne over die zuster denkt. Zij heeft haar doodverklaard. Dan moet u daar niet tussen gaan zitten. Dat zal u kwalijk genomen worden.'

De andere nonkel had gezwegen en enkel geknikt ten teken dat hij het eens was met de woorden van zijn broer.

Anna keek verward van de een naar de ander. Ze wist van die zuster van Hanne. Dat lag heel gevoelig. Ze had de brief gelezen die een paar dagen geleden was aangekomen. Huib wist niet dat de tante in Antwerpen woonde, schreef Hanne. Hij wist niet beter of zij was dood en dat moest zo blijven.

Maar het was niet goed, dacht Anna. Familie moest niet in haat en nijd met elkaar leven. Hanne had maar een zuster. Die broer was al jaren dood; dat had Jean na veel vragen nog maar kort geleden achterhaald.

Anna besloot na die woorden van haar zwager niets te zeggen. Wie weet kwam die zuster later nog eens ter sprake, als alles in minder gevoelige omstandigheden terecht was gekomen. Maar ze betwijfelde of dat ooit zou gebeuren.

Huib keek om zich heen en voelde zich nu al wonderwel thuis op deze kleine hoeve aan de rand van de stad. Dat had hij niet verwacht. Als hij al eens op een onbekende plaats kwam, voelde hij zich meestal als een kat in een vreemd pakhuis. Hij hield ook niet veranderingen en onbekende omgevingen.

Zelfs als moeder Hanne het in haar hoofd kreeg om na de voorjaarsschoonmaak de meubels anders neer te zetten, duurde het dagen voor Huib een beetje gewend was aan de nieuwe opstelling in huis.

Een stevige wind woei om het huis, merkte hij, binnen brandde het fornuis. Het was knus en behaaglijk. Hij zag een kruisbeeld aan de muur boven de deur hangen, een Mariabeeld stond in de hoek van de keuken met een brandend kaarsje ervoor.

Goed rooms, dacht hij. Ja, dat was zijn moeder ook. In de voorkamer stond nog altijd een klein Mariabeeld in een hoekje met een lampje ervoor. Vader Egbert stoorde zich daar niet aan. Huib vroeg zich weleens af wanneer vader Egbert zich wel ergens aan zou ergeren.

Huib keek naar de meubels, stevige boerenmeubels, zoals ze bij hem thuis ook stonden. Hier waren ze versierd met houtsnijwerk. Dat leek mooier dan die kale gladde meubels bij hem thuis, vond hij.

Er was koffie, en taart door de tante gebakken en stevige boterhammen met worst.

Zijn bed was klaar, hij kon er zo in, zei Anna opgetogen. Ze was werkelijk blij hem te zien, merkte hij. Hij zag ook de glanzende ogen van nonkel Jean, die hem steeds weer opnamen. Goed dat je er bent, jongen, zeiden die blikken.

'Vertel, hoe gaat het met onze zuster Hannelore?' vroeg een stem.

'Goed,' vertelde hij en liet een paar foto's zien van zijn moeder, zijn stiefvader en zijn twee zusters.

'Wij zijn blij dat zij weer een goede man gevonden heeft, al is het een Ollander,' kwam het er speels achteraan.

Bestraffende blikken werden naar de spreker gezonden.

'Hoe is het bij u gesteld met werk en leven?'

Hij vertelde dat hij werkloos was geworden. Tja, de textiel, volle magazijnen, weinig handel, een harde gulden, die niet werd gedevalueerd door de regering. Die koos voor bezuinigingen op allerlei gebied en wilde van de gulden afblijven, daarom was er weinig handel. De spullen waren te duur geworden voor het buitenland.

Ze knikten begrijpend. Het ging overal slecht, ook in België. In Brugge en Gent, waar nog veel textiel werd verwerkt, waren ook ontslagen gevallen, knikten ze.

Toen kwam de vraag: 'En hebt u al een lief?'

Huib keek verschrikt op. 'Een wat?' vroeg hij meteen, al wist hij wat ze bedoelden.

'Een meiske, een speciaal meiske,' lachte de tante.

Hij schudde het hoofd. Je eerste leugen, dacht hij. Anneke Verbaan. Hij moest bijna lachen om zijn huwelijksaanzoek. Als zijn moeder, over wie hier met de grootste gene-

115

genheid werd gesproken, wist wat hij Anneke had voorgesteld…

Maar toen dacht hij: hoe krijg ik de familie zo ver dat ze bereid is mee te speuren naar de achtergrond van een Belgisch meisje dat illegaal in Nederland woont?

'Catrien, breng die jongeman niet in verlegenheid,' vermaande Anna lachend. 'Zeg eens, Huibrecht, hoe gaat het uw zuskes? Dat worden knappe meiskes.'

Hij was blij dat het onderwerp wat neutraler werd.

Het leek uren later toen hij onder een dikke deken in het donker lag te staren. Hij was in België, bij zijn vaders familie. Het waren aardige mensen, die werkelijk belangstelling voor hem hadden.

Hij had nog weinig gehoord over zijn vader, die op deze boerderij geboren was en op een dag in 1914 was vertrokken om naar het front te gaan en nooit weer terug te keren.

Hij had een foto gezien van zijn grootouders, oude mensen staand voor de deur van de hoeve, de vrouw met de armen over elkaar geslagen. Donkere ogen waarin niets te lezen viel, een smalle mond die op bitterheid leek te duiden. De man even stug en onbereikbaar als zijn vrouw.

Ze waren al vele jaren geleden overleden, vlak na de oorlog, had de oom gezegd. Huib herinnerde zich de grootouders in België maar vaag. Moeder Hanne had niet vaak over hen gesproken. Hij kon zich ook niet meer herinneren dat hij bij hen op bezoek was geweest. Hij had al vaker bedacht dat hij weinig meer wist van de jaren voor de vlucht naar Nederland. Alles was even vaag geworden.

Huib kende alleen de oude moeder van zijn stiefvader, een aardige, oude buurvrouw. Ze was al voor het huwelijk van haar zoon overleden. Moeder Hanne was al vroeg wees geworden. Die had haar eigen ouders amper gekend.

Deze grootouders hadden de dood van hun zoon moeten meemaken, zoals zoveel ouders in dit land dat hadden moeten ervaren. Het ergste wat iemand kon overkomen was het verlies van een kind, zeiden sommigen. Zijn eigen moeder wist dat ook, zij had haar kleine dochter van amper vier moeten begraven. Zoiets was een levenslang verdriet.

Ook dat hadden die grootouders moeten ervaren: de dood van hun kleinkind en een vernielde boerderij. Het was uiteindelijk hun levenswerk geweest. Genoeg om het leven te gaan haten, dacht hij, en om stroef en nors voor een fotograaf te staan. Ze hadden ook geen reden om te lachen.

En wat ging er gebeuren nu hij hier was? Hij was nog een eind van Diksmuide af. De grote erebegraafplaatsen van de militairen lagen allemaal in het zuidwesten van het land tegen de Franse grens aan. Daar was het immers het front geweest.

Het was een eind weg. Misschien wel te ver om naartoe te gaan. Hij zou het toch graag willen... Nee, hij ging daar gewoon naartoe, met of zonder de oom en tante.

Hij zuchtte in het donker en draaide zich om. Het was een drukke dag geweest, te druk om nog lang na te denken over de vele indrukken die hij had opgedaan.

De volgende dag werd benut om Huib een indruk te geven van het stadje. Het was toch zijn geboortestad, zei tante Anna.

Na een uitgebreid ontbijt stapte hij achter zijn oom aan op weg naar het stadje. Een mand met eieren werd nog even aangereikt, die kon meteen afgeleverd worden bij een winkelier, die vaker eieren afnam.

Huib keek om zich heen. Dus dit was de omgeving waar zijn vader was opgegroeid, het stadje waar hij naar school was gegaan, al was het niet te vaak, zoals moeder Hanne had verteld.

Zijn vader ging alleen in de winterdag, niet in de zomerdag, dan konden de jongens wel helpen op het land, vonden de meeste ouders. De leerplicht was in België later ingevoerd dan in Nederland, pas in 1914. Bovendien werd er onderwezen in het Frans, een taal die de kinderen eigenlijk niet verstonden, dat was nog een reden om weg te blijven van de school.

Huib had de eerste aversie tegen de Fransen al gevoeld, dacht hij. Hij had in die paar uren al meerdere keren de verachtelijke term 'Franskiljons' gehoord. Die term kende hij wel, zijn moeder gebruikte hem ook geregeld.

Moeder Hanne kwam van een naburig dorpje, vertelde de oom. Nee, haar familie was er niet meer. Zij en haar enige zuster waren opgegroeid bij verre familie. Erg plezierig hadden ze het daar niet gehad, zei de nonkel.

Huib knikte. Dat wist hij, dat had moeder zich weleens laten ontvallen. De enige zuster was ook omgekomen in de oorlog, had ze verteld. Nonkel Jean zweeg iets te nadrukkelijk, maar Huib merkte het niet. Ze kuierden rustig voort. Jean vertelde over de omgeving, over het verleden, het verre verleden. Niet over de oorlog toen hier bijna alles in puin had gelegen door de vele bombardementen en beschietingen.

'Even hier naar binnen,' zei de nonkel vrolijk en wees naar een kleine kruidenierszaak.

Huib knikte. ' Ik blijf liever even buiten staan,' zei hij. Er was genoeg te kijken. Nee, hij zou misschien een paar meter wegwandelen, maar hij bleef in de buurt. Hij kende hier heg noch steg en hij was in een vreemd land, dus weglopen zou hij niet doen…

Jean knikte en haastte zich naar de winkel.

Huib slenterde naar het pleintje op enkele tientallen meters afstand. Er stonden wat oudere huizen, die blijkbaar de oorlog hadden overleefd dan wel waren herbouwd in de oude stijl. Een half met stenen aangelegd plein met een stukje gras in het midden, waarop wat bankjes stonden. Was dit het centrum van de stad? Hij herkende de omgeving niet, al had hij hier de eerste zes jaar van zijn leven doorgebracht. Het was allemaal anders geworden.

Huib slenterde naar het plein toe. Hij vroeg zich af waar zijn ouderlijk huis had gestaan vlak voor de oorlog. Hij kon het zich niet meer voor de geest halen. Zijn ouders hadden een aantal jaren in een van de straten gewoond, zijn vader werkte als timmerman bij een aannemer. Het huis stond er niet meer, het was weggebombardeerd. Het kleine zusje was daarbij omgekomen.

Hij zag een klein bord dat aangaf waar de begraafplaats lag. Hij keek om zich heen. De kerk was niet groot en herbouwd in de oude stijl, de plompe toren rees hoog boven de naastgelegen woning uit. Een hoge heg lag naast de kerk. Daar was de begraafplaats, dacht Huib en slenterde ernaartoe.

Hij liep langs de kerk naar achteren. Er was geen hek, hij kon zo doorlopen. Een oude vrouw knikte hem toe toen hij langs het brede pad naar achteren liep. Een vreemde, zag je haar denken en ze keek hem even na. Toen ging ze verder met haar eigen bezigheden.

Ergens achteraan, bijna tegen de hoge heg aan, lag de afdeling waar de kinderen waren begraven. Het waren er veel, zag hij, veel te veel. Kleine steentjes met opschriften als 'hier rust onze lieveling', soms versierd met vogeltjes en houten paaltjes met geschilderde namen. Veel data uit de oorlogsjaren…

Hij zag het kleine graf bijna meteen. Het lag aan de rand van een kleine rij met allemaal paaltjes. De meeste waren al verweerd door het klimaat, een enkele zelfs al afgebroken.

Dit grafje was keurig onderhouden met een bijna nieuw paaltje erop. Celestine Bosschaard, 1910-1914, las Huib. Meer niet, geen lieveling, geen verdere teksten, alleen maar Celestine Bosschaard.

Hij voelde iets prikken in zijn keel. Het greep hem aan, die witgeschilderde letters op dat houten plankje. Zijn zusje van vier. Hij kon zich het kleine meisje nog goed herinneren, dat bloedend en met gesloten ogen in de armen van zijn moeder lag.

Kleine blonde krullen, grote blauwe ogen, een ondeugende toet, dat wist hij nog. Een snatertje dat nooit stilstond behalve als het meisje sliep. Ze was haar broertje van zes de baas en dat wist hij ook wel. Hij was de kleine *gentleman*, zei zijn vader grinnikend, hopelijk bleef hij dat als hij groter was.

Hij was nog maar zes jaar geweest toen hij aan de hand van zijn moeder wegvluchtte. Het dode zusje in de vrije arm van zijn moeder. Moeder die huilde en gilde en bad. 'Celestine, Celestine, word wakker, mama is bij u.'

Gek, dat beeld zou hij nou nooit vergeten: die brandende huizen, de verwilderde mensen, de angst op de gezichten van al die vluchtende mannen, vrouwen en kinderen. Sommigen hadden nog iets mee gegrist, een gebedenboek, een kooi met een kanarie, een fotolijst, een boek, maar de meesten hadden niets bij zich. Ze waren alles kwijt wat ze ooit bezaten. De doden bleven achter.

Huib slikte iets weg. Gek, dacht hij, dat ik dat nog zo goed weet en de rest niet meer. Ik herken de omgeving niet eens.

'Ik heb het paaltje vorig jaar laten vernieuwen,' zei een stem vlak achter hem. 'Wij zorgen goed voor ons Celestientje.'

Hij draaide zich om. Nonkel Jean stond achter hem. 'Ik dacht wel dat u hier was,' knikte hij.

Dat had hij goed gedaan, dacht Huib geraakt. Hij was blij dat de familie goed voor het kindergrafje zorgde. Dat had Jean waarschijnlijk aan zijn schoonzuster beloofd. Hij kon zijn moeder vertellen dat de familie de belofte meer dan nakwam.

De naam Celestine op het paaltje danste voor zijn ogen en hij liep ineens abrupt verder. De oom volgde hem zwijgend.

Ze dronken een pint bier bij het café in een zijstraatje tegenover de kerk. Hij had het nodig, vond nonkel Jean en bestelde het bier zonder vragen.

Huib moest bijna grinniken als hij dacht aan zijn vader en moeder. Die zouden de wenkbrauwen hoog optrekken als ze hem om tien uur in de ochtend al achter het bier zagen zitten. Maar hij was in België en daar ging het er wat anders aan toe dan in het conservatieve Twente, waar alleen met een feest een borrel op tafel kwam.

Huib dronk weinig sterke drank, zelfs met een verjaardag wilde hij amper een borrel hebben. Hij was ook nog nooit dronken geweest. Zijn ouders waren daar blij om. Er waren genoeg jongelui die altijd in de herberg zaten. Huib kwam daar nooit.

Van dat geld dat anderen naar de herberg brengen, reis ik naar België en ik hou nog over ook, dacht hij toen hij het glas weer neerzette. Het bier smaakte hem wonderwel. Dat zei zijn moeder altijd: de Belgen konden bier brouwen, de Nederlanders niet.

'Zo, familie op bezoek, Jean?' vroeg een bekende, die ook binnentrad en even bleef staan bij het tafeltje waar ze aan zaten.

Jean knikte en verbeterde de man niet, die veronderstelde dat de onbekende jongeman wel uit Antwerpen zou komen. Huib wilde zelf al vertellen dat hij uit Nederland kwam, maar een waarschuwende tik tegen zijn been weerhield hem ervan.

De man liep door en Huib keek zijn oom verbaasd aan. 'Wat betekent dat?' vroeg hij. 'Waarom mag hij niet weten dat ik uit Nederland kom?'

'De man deugt niet, hij spreekt liever Frans,' kwam het korzelig.

Huib zweeg maar. Hij kende de verstandhoudingen niet en hij wilde zich er ook niet mee bemoeien. Maar waarom was de nonkel daar zo fel op? Hij zou het wel uitleggen, nam hij aan.

Ze bleven nog een uurtje zitten. Een tweede pint werd besteld en betaald. Daarna stonden ze op.

Jean vertelde over de stad, het verleden. De vele mensen die waren vertrokken naar elders. Nee, ze hadden hier niets meer te zoeken toen het eindelijk weer vrede was. Veel werkgelegenheid was hier nooit geweest. De jongelui gingen vaak naar Antwerpen of Gent, dat deden ze voor de oorlog al. Huibs vader had er ook weleens over gedacht.

Huib was een heleboel wijzer geworden, vond hij. Ze liepen langzaam naar het plein terug. Jean bleef aan de noordelijke kant. De wind woei stroef om hun oren. Huib maakte de opmerking dat ze beter het plein over konden steken, daar liepen ze in de luwte. 'We steken zo over,' zei de nonkel enkel en liep stug door.

Huib volgde hem en zijn ogen gleden over het plein. Het was er stil. Het was te koud om buiten te bivakkeren, maar op zwoele zomeravonden zou het hier druk zijn, begreep hij. Dan zouden de mensen buiten zitten op stoelen, op de stenen banken in het midden desnoods.

Ineens viel zijn oog op een monument in het midden. Het was niet groot, maar keurig onderhouden, zag hij. Een witte plaat met zwarte letters in een vierkante vorm van ruwe bakstenen gemetseld, daarvoor een onkruidvrij stukje zwarte grond met kaalgesnoeide rozenstruiken, het geheel omgeven door lage, strakgesneden struiken, daaromheen de stenen banken. Ongetwijfeld zouden hier in het voorjaar bloemen geplant worden, de rode klaprozen die overal in dit gedeelte van het land in tuinen en parken groeiden, de klaproos, het symbool van die grote oorlog. Als het land en de huizen in puin lagen, vergeten door mens en dier, groeide op de ruïnes als eerste die klaproos. Onkruid, wist iedereen, maar een zeldzaam mooie bloem.

Die zwarte letters op dat monument. Waren dat de namen van de gesneuvelde inwoners uit deze omgeving? Hij liep er ineens heen. Jean probeerde hem tegen te houden, maar hij luisterde niet. Hij beende met grote stappen langs de opgemetselde bankjes en bleef ineens staan.

Hij keek om naar zijn oom, die op de stoeprand was gebleven, en wenkte ongeduldig. Waarom bleef de oom daar staan?

Toen keek hij voor zich naar het monument. Inderdaad, het was een gedenkteken met de namen van de gevallen soldaten, allemaal omgekomen in die oorlog. Namen van jongemannen uit deze streek. Gaston, Eugene, Juul… Zijn ogen gleden over de namen.

Hij zag vanuit zijn ooghoeken nonkel Jean met grote stappen komen aanlopen, dwars over het gras heen.

Langzaam draaide Huib zich om. Hij staarde naar zijn oom met een vreemde blik in de ogen. 'Zijn dit alle namen van de omgekomen soldaten uit deze plaats?' vroeg hij bijna rustig.

De oom zweeg en knikte bijna onbewust.

'Ik zie de naam van mijn vader er niet opstaan. Hoe kan dat? Hij woonde toch in deze streek?' zei hij toen traag. 'Waarom staat zijn naam dan niet vermeld op dit eremonument?'

11

Ze liepen verder. Huib was duidelijk verward en onzeker. Hij begreep het niet. Overal in dit land werden gedenktekens opgericht voor de omgekomen soldaten. Zijn vader stond niet op het eremonument van zijn woonplaats, terwijl hij gesneuveld was aan het front in Diksmuide. Ze waren hem toch niet vergeten? Men kende toch zijn regiment, zijn rang, zijn naam?

De oom had iets gestameld van 'je vader woonde buiten de stad'. Dat antwoord klopte niet, dacht Huib ontstemd. Mijn vader woonde in de stad tot aan het moment dat hij werd opgeroepen voor de militaire dienst. Hij kwam ook niet van buiten, zijn ouderlijk huis lag in dezelfde gemeénte, hij had jaren in deze plaats gewoond, hij was er zelfs geboren.

Waarom stond zijn naam niet op dat monument voor de gevallenen? Waarom kwam de nonkel met zo'n opzichtig smoesje? Dat kon maar een ding betekenen: er klopte iets niet...

Jean liep met stevige stappen voor hem uit. Te laat, dacht hij. Hij is hier gedurende twee dagen en hij is er al achter dat het fout zit, zoals wij dat al jaren weten en er tot op de dag van vandaag niets tegen kunnen ondernemen. Die jongen is niet dom, daar had Hanne al voor gewaarschuwd. Zeg een half woord en hij weet genoeg. Hij zal jullie niet meer met rust laten tot je hem vertelt...

Tientallen gedachten schoten Huib door het hoofd terwijl hij tegen de rug van zijn oom aan keek. Jean wilde niet met die man in het café spreken. De man was een Vlaming en sprak bij voorkeur Frans, hij was geen goede Vlaming, ook niet in de oorlogsjaren, zei hij als reden. Zestien jaar na die oorlog? Speelde dat allemaal nu nog? Of betrof het iets heel anders? Huib had al gemerkt dat sommige mensen werden genegeerd, niet door enkelen, maar door velen. Franskiljons, werden ze smalend genoemd. Vlamingen die hun afkomst verloochenden door Frans te spreken, ze achtten zich te goed voor de Nederlandse taal...

Dat scheen een man zwaar te worden aangerekend in deze omgeving.

Jean liep in de straffe wind aan de verkeerde kant van de straat. In de hoop dat Huib misschien over dat monument heen zou kijken? Wist de oom dat de naam van zijn vader er niet op stond en wilde hij voorkomen dat Huib het zou zien? Zijn vader was gevallen voor zijn vaderland. Ze konden hem niet simpelweg vergeten zijn. De familie had moeten protesteren. Waarom had ze dat niet gedaan?

Neen, dacht hij. Er klopt iets niet. Het hele gedrag van de oom bewijst dat hij weet waarom de naam van zijn broer ontbreekt op dat monument. Nou, daar moet oompje een goede uitleg voor geven, dacht hij. Hij liet zich niet met een kluitje in het riet sturen. Het ging om zijn vader.

Ze zwegen bijna tot aan het moment dat ze weer bij de hoeve kwamen. Pas toen stond Jean stil en draaide zich om naar de jongeman. 'Huibrecht, ik wil u iets zeggen. Ik weet waarom de naam van uw vader niet op die gedenksteen is gebeiteld. Uw moeder weet dat ook. Iedereen hier in deze omgeving weet dat en ook waarom. Het heeft tot bittere tegenstand geleid en tot een grote vijandigheid tussen de plaatselijke overheid en het volk. Bij elke verkiezing komt het weer naar voren en dan laaien de emoties hoog op. Ik zal het u moeten vertellen, al had ik dat liever niet gedaan, ook al om uw moeder. Die heeft het ongelooflijk zwaar gehad door deze geschiedenis.'

Hij hoorde de stem van zijn moeder: je had een vader om trots op te zijn, onthoud dat goed. Er was iets, dacht hij. Er was iets met zijn vader aan de hand geweest en vooral met zijn dood. Hij was niet alleen maar gesneuveld zoals duizenden anderen in dit land.

Het leek alsof bepaalde dingen op hun plek vielen: de aversie van zijn moeder tegen haar vaderland, haar onverzoenlijke opmerkingen. Haar weigering om ooit terug te keren naar België.

Nonkel Jean mocht het gaan uitleggen en hij zou een goed verhaal moeten hebben.

Anna keek verschrikt toen Jean haar gedempt vertelde dat Huib het monument had ontdekt. 'Ik probeerde eraan voorbij te lopen, maar hij zag het en liep er zo naartoe…'
Anna zuchtte alleen maar diep. 'Wij wisten dat als Huibrecht zou komen, hij het zou kunnen ontdekken. Hoe gaarne we hem ook zouden ontvangen in onze woning, we beseften wat de consequenties waren. Hannelore wist het ook, ze verzette zich niet voor niets zo tegen deze reis. Ze weet ook hoe groot de kans is dat wij met de waarheid voor de dag moeten komen. Ze zal ons niets kwalijk nemen. De jongen zal immers niet rusten voor hij het weet.'
Jean zuchtte eveneens. 'Het is beter dat hij het van ons verneemt, Anna. Wat denk je wat hem gezegd wordt als hij morgen naar het stadhuis gaat om inlichtingen, want daar acht ik hem toe in staat.'
Anna knikte zwijgend.
Huib zat aan de grote, geschuurde tafel waarop een kan met koffie en boterhammen stonden. 'Tast toe, jongen,' zei Anna hartelijk, maar hij had geen trek. Ze zou hem willen vragen wat hij van de stad vond, maar dat was nu een volslagen overbodige vraag.
Jean ging tegenover hem zitten en vouwde zijn handen in elkaar. Hij staarde zijn Hollandse neef een tijdlang zwijgend aan. Een zoon van zijn broer, als twee druppels water leek Huib op zijn vader. Volgens Hannelore had hij het ook hetzelfde karakter. Hoe zou hij reageren? Ontzet, ja, woedend, zeker, misschien zelfs meer dan dat.
Zoals zovelen in dit land van Vlaanderen woedend waren geweest en nog steeds waren na al die jaren vanwege de gebroken beloftes van de autoriteiten, de vernederingen en de achteruitstelling van het volk dat de Nederlandse taal sprak.
'Het wordt tijd dat u iets verneemt over het verleden van

ons mooie land en over uw vader…' zei hij moeizaam. 'Want u weet niet meer dan dat hij is gesneuveld aan het front tussen Diksmuide en Nieuwpoort in de Westhoek. Maar het is geen gemakkelijk verhaal.'

Huib keek van de een naar de ander. Hij knikte langzaam.

Nonkel Jean begon te praten. De oorlog was een moeilijke tijd voor iedereen, ieder gezin kende zware verliezen. Niet alleen materieel, want meubels en huizen konden wel vervangen worden. Mensenlevens niet.

Huib zweeg. Zijn kleine zusje kwam nooit terug. Hij hoefde zijn ogen maar te sluiten en hij zag weer het beeld van het kleine lichaam met bloed overdekt in zijn moeders armen. De van ontzetting opengesperde ogen van zijn moeder. Haar wanhopige gegil en de vlucht, weg van die onheilsplaats, alles achterlatend wat ze bezaten. Hij droomde soms nog van die gebeurtenis. Met niets meer dan de kleren aan hun lijf waren ze de grens over gevlucht.

Net op tijd, nog geen week later, werd de grens met het neutrale Nederland hermetisch afgesloten door een elektrische draadversperring die vele kilometers lang de gevaarlijke afscheiding vormde. Velen hadden hun vlucht met de dood moeten bekopen door dat ijzeren gordijn. Ze noemden het niet voor niets de ijzeren dood.

'Uw vader was een rustige man, geen druktemaker, geen aandachttrekker, hij ging zijn eigen gang. Hij had alleen een fout: hij was een echte Vlaming en hij moest niets hebben van de Franskiljons, zoals wij hen noemen. De meeste Vlamingen denken net als hij, meer dan ooit zelfs. Te lang zijn de Vlaamssprekende burgers in dit land achteruitgezet en vernederd door de Franssprekenden. Zij waren maar boeren en knechten in hun ogen. Er waren Walen die durfden te beweren dat de Vlamingen leefden om hen te dienen.'

Jeans gezicht vertrok van woede. 'Uw vader was een goede vakman, een echte timmerman. Hij droomde van een eigen bedrijf, maar dat ging voor hem als Vlaming niet zonder slag of stoot. Allerlei beperkende maatregelen, noem het maar gewoon treiterij van een onwillige overheid, werden hem in de weg gelegd. In 1914 werd hij opgeroepen voor het front, zoals de meeste jongemannen. Hij had te gaan, net als al die duizenden anderen. Wij kregen brieven van hem over het leven in de loopgraven. Je moeder ook. Als wij Corneel moesten geloven, was het een doodsaai leven in die loopgraven. Hij is in die tijd slechts eenmaal thuis geweest. Later hoorden wij pas hoe er gewerkt moest worden en hoe er gevochten werd, hoe ze moesten leven als varkens in de grond... Een jaar later kregen wij bericht dat hij was gesneuveld. Er zijn ook vele anderen in deze stad gevallen aan dat front. Uw moeder was toen al gevlucht naar Holland met haar kleine jongen. Ze was al in de eerste dagen van de oorlog gegaan, ze had geen dak meer boven haar hoofd. Ze was alles kwijt en het ergste was dat onze lieveling Celestine er niet meer was. Wij konden jullie niet opnemen; onze hoeve was zwaar beschadigd, wij leefden letterlijk in het varkenskot. En Nederland was neutraal en niet ver weg...'

Daar kon zijn moeder niet bij met haar zoon, dacht Huib, dat was wel duidelijk. Wat deed je in zo'n geval als je de Hollandse grens kon bereiken? Je vluchtte naar een veilig en neutraal land. Hij wist dat de boerderij zwaar onder vuur had gelegen in die jaren. Hij had de hoeve vanmorgen ook gezien bij daglicht, alles leek nieuw gebouwd, had hij gedacht.

'Wij wisten dat Hannelore veilig was in Nederland en dat wij verder moesten in de wetenschap dat onze Corneel er niet meer was. Hij was gevallen voor het vaderland, dachten wij. Een van de vele duizenden.'

Huib keek met een ruk op. Dáchten wij? Was dat niet zo? Wat was er dan gebeurd?

'Wij hoorden pas in 1918, toen de vrede was getekend, wat er voorgevallen was. Het waren barre tijden aan het front, jongen, mensonwaardig mogen we ze noemen. Dat is oorlog altijd, maar zelfs het laatste beetje menselijkheid werd onze Vlaamse jongens nog ontnomen door hun Franssprekende officieren. De generaals en kolonels joegen

128

de soldaten over de linies zonder na te denken over de verspilling van de levens van die jonge jongens. Het leven van hun manschappen had niets te betekenen voor hen, zij speelden oorlogje... Dat deden zij niet alleen, de Britten en de Fransen waren geen cent beter.'

'Die officieren zaten veilig in hun bunkers,' vulde Huib aan.

'Als ze daar nog zaten. De meeste van die hoge heren leefden in dure villa's met alle comfort dat daarbij hoorde en ver van het front. Ze waren Franstalig en de soldaten verstonden hen vaak niet, ze begrepen de bevelen niet en dat kostte vele duizenden onnodig het leven.'

Huib boog zich voorover. Hij was witter dan normaal. Was zijn vader het slachtoffer geworden van zo'n onzinnig bevel?

'De manschappen morden en er werd een frontbeweging door de Vlamingen opgericht, die eiste dat er bevelen werden gegeven in het Nederlands, dat de Vlaamse soldaten niet werden vernederd en achteruitgesteld, zoals dat steeds gebeurde. Dat was hen ook beloofd door koning Albert, maar daar kwam niets van terecht. Ze werden in zinloze acties de loopgraven uit gejaagd en sneuvelden bij duizenden tegelijk als ze door die dodengang bij Diksmuide naar de loopgraven liepen. Op vijftig meter afstand stond daar een Duitse bunker.'

Jean zweeg. Anna kuchte en nam het over. Ze zag hoe moeilijk haar man het er nog mee had, zelfs na al die jaren. 'De manschappen stonden vanaf het begin van de oorlog onder het bevel van een kolonel Vanderheijden, hij was verantwoordelijk voor hun compagnie bij Diksmuide...'

'Dezelfde die eind vorig jaar is vermoord?' vroeg Huib meteen.

'Ja, jongen, dezelfde.' Anna zweeg een ogenblik. Toen ademde ze in en begon weer te praten. 'Hij vond dat de Vlaamse manschappen niet gemotiveerd genoeg waren. Het moest een eer zijn om te sterven voor het vaderland, zoals hij het noemde.'

'Waarom ging hij dan niet voor de troepen uit als het zo'n eer was om te sneuvelen?' sneerde Huib.

Nonkel Jean snoof spottend. 'Ja, jongen, zulke uitspraken zijn gemakkelijk vanaf veilige afstand. Generaals en kolonels sneuvelen niet, die sterven meestal in hun bed.'

Anna knikte. 'Die kolonel had een grenzeloze minachting voor de Vlamingen, het was een echte Franskiljon. Hij wilde een daad stellen om de grote lafheid en eigengereidheid van die stompzinnige boeren ten voorbeeld te stellen, zo motiveerde hij zijn actie. Hij lootte in totaal vier mannen uit verschillende bataljons en hij liet hen ter dood veroordelen in een schijnproces. De mannen van het eigen bataljon aan het front moesten het vuurpeloton vormen. De uitgelote mannen zouden als onwaardige lafaards terechtgesteld worden. Ze waren allen van Vlaamse afkomst en stonden bekend als aanhangers van de Vlaamse beweging. Na advies te hebben ingewonnen, weigerde de koning het doodvonnis te ondertekenen, een van de zeldzame keren overigens. Hij begreep dat er een opstand zou uitbreken onder de Vlaamse soldaten, maar twee van hen waren al bij voorbaat tegen de muur gezet, zonder ondertekening van het vonnis. Standrechterlijk, noemen ze dat.'

Huib slikte, hij was doodsbleek geworden. 'Mijn vader was een van hen?' bracht hij uit.

Beiden knikten zwijgend en wachtten de reactie af.

'De ploert,' siste hij. 'Mijn vader werd doodgeschoten op aanstichten van die man door zijn eigen kameraden?'

Hij balde zijn vuisten. Een tomeloze woede sloeg door hem heen. 'Waarom hebben ze die man niet meteen opgeknoopt na de oorlog? Dat had moeten gebeuren,' viel hij uit.

De twee oudere mensen keken elkaar aan. 'Het is helaas een gebeurtenis die vaker is voorgekomen. Ook de Fransen en de Engelsen hebben veel van hun eigen mensen tegen de muur gezet, vaak wegens desertie, onder die noemer paste alles. In die jaren wist men niet van mensen, die letterlijk ziek werden van de oorlog van de gasaanvallen. *Shell shock*, heet het nu. Men noemde hen toen deserteurs... De meeste van hen waren onschuldig. Sommigen ook niet, zij hadden misdaden begaan als moord en doodslag; anderen waren echte deserteurs, die probeerden de grens over te komen. Zij verdienden ook die straf, maar dat waren slechts enkelen. De Belgen zeggen dat er officieel een stuk of dertien mannen gefusilleerd zijn, van hen waren er zeker zeven onschuldig. Ze zijn op de verkeerde gronden berecht. De twee uitgelote mannen, waarvan je vader er een was, waren absoluut onschuldig. Zij kregen niet eens de mogelijkheid afscheids-brieven te schrijven naar hun familie. Een uur na hun zoge-naamde proces en nog voor de vonnissen waren bekrachtigd, werden ze al geëxecuteerd. De anderen zouden twee dagen later volgen. Dat ging niet door, de koning weigerde de von-nissen te tekenen, zoals ik al gezegd heb. De families ont-vingen een kort bericht dat zij gesneuveld waren. Daar blijkt al uit dat er een smerig spel was gespeeld. Later vertelde men dat de koning woedend was toen hij de dood van de twee ver-nam. De kolonel werd echter geen strobreed in de weg gelegd. Een poging hem na de oorlog voor de krijgsraad te dagen, mislukte. Het enige wat bereikt werd, was dat de kerel met pensioen werd gestuurd. Zijn slachtoffers kregen niets, nog niet eens eerherstel.'

Het bleef weer minutenlang stil. Huib voelde de woede, het verdriet door zich heen slaan. Zijn vader... op zo'n manier om het leven gekomen. Hij was gewoon vermoord door die vent.

Hij schrok op toen de oom weer begon te praten. 'De man hield zich jaren rustig, dat was ook het beste voor hem, maar in december van het afgelopen jaar meende hij zich te moe-ten rechtvaardigen in een interview. Toen bleek dat hij niets geleerd had.'

'Waarom was de koning wel bij de begrafenis een week of acht geleden als hij destijds zo woedend was over die mis-daad?'

Jean knikte kort. 'Soms moet men de schijn ophouden.

België bestaat uit twee volkeren, die elkaar niet verdragen. De koning moet daar tussendoor balanceren. De strijd tussen de Walen en de Vlamingen is bitterder dan ooit sinds de oorlog. De Vlamingen hebben lang onder de knoet gezeten van de zich beter achtende Walen. Het is pas een goede dertig jaar geleden dat het Nederlands gelijkgesteld werd aan het Frans. Maar in de praktijk is die gelijkheid nog ver te zoeken. Je vader heeft zich daar altijd zwaar aan geërgerd, net als wij allemaal. Maar wij moeten wel eerlijk zijn. In de oorlog waren er nogal wat Vlamingen die wilden samenwerken met de Duitsers in de hoop op een zelfstandige staat Vlaanderen. De Duitsers maakten daar handig gebruik van. Dat zette weer kwaad bloed bij de Walen. De kreet 'landverraders' werd nogal eens gebezigd door de Franstalige burgerij. Er waren ook vele Vlamingen, die niets van die Duitsers wilden weten en wegvluchtten naar Nederland of zich verzetten tegen de bezetter. De oorlog heeft de tegenstellingen verscherpt. Er zijn na de oorlog Vlaamse en Waalse politieke partijen opgericht die een scheiding willen tussen Wallonië en Vlaanderen. De taalstrijd doet ons nog eens de das om in dit land, daar ben ik van overtuigd. Het wordt alleen maar erger, dat kan ik u verzekeren.'

Het bleef stil. De gedachten joegen door Huibs hoofd. Hij hoorde amper wat zijn oom vertelde over de Belgische taalstrijd. Nu begreep hij zijn moeder. Wie zou zijn land niet haten als hem zoiets werd aangedaan? Hij zou er niet eens willen wonen, net zo min als zijn moeder.

'Zijn er veel soldaten geweest die op die manier omkwamen?' wilde hij weten. 'U spreekt over een stuk of twaalf.'

'Men weet niet het juiste aantal. Officieel zijn er een stuk of twaalf deserteurs gefusilleerd. Uw vader is gesneuveld, ook de andere soldaat die tegelijkertijd werd vermoord, werd aangemerkt als gesneuveld. U zult het ook niet in de geschiedenisboekjes vinden. Maar er zijn veel meer standrechterlijke executies geweest dan iemand vermoeden kan, daar ben ik van overtuigd, en ik niet alleen. Vooral Vlamingen werden

132

tot de dood met de kogel veroordeeld. Advocaten en rechters hebben in de laatste jaren meer dan eens verkondigd dat de krijgsraden niet juist waren samengesteld en dat zij een aanfluiting vormden voor een rechtvaardig vonnis, dat de grondwet met voeten werd getreden in die jaren.'

Jean kneep even de mond strak opeen. Toen zei hij: 'Na deze gebeurtenis werd een bataljon opgericht dat soldaten opnam, die als deserteurs werden aangemerkt. In dat bataljon konden zij zich rehabiliteren, zoals het werd genoemd, maar ze werden wel in de vuurlinie geplaatst en sneuvelden bijna allemaal. Men zegt dat de koning de hand in die oprichting had. Hij heeft in ieder geval gezorgd dat het afgelopen was met standrechterlijke executies aan het front wegens zogenaamde desertie en lafheid.'

Anna wreef zich door de ogen. 'En nu is de koning ook dood. Verongelukt bij het bergbeklimmen, heet het officieel. Er gaan vreemde geruchten over zijn dood. Er zijn geen getuigen van dat ongeluk.'

Huib ging er niet op in. Hij was te geschokt door het verhaal over zijn vader. Uitgeloot om te worden vermoord, om een voorbeeld te stellen aan anderen. Zou het een soldaat weerhouden hebben om te vluchten, als hij dat wilde? Hoe konden die officieren dergelijke beslissingen nemen, in de wetenschap dat onschuldige mannen werden opgeofferd? Hoe konden ze met zichzelf verder leven?

'Niemand praatte er ooit over toen de oorlog afgelopen was?' vroeg hij toen.

'Er doken na de oorlog verhalen op over deze kolonel Vanderheijden en zijn optreden, vooral over zijn incompetente beslissingen en de vele doden die daardoor vielen. Dit soort artikelen werden gepubliceerd in wat men noemde obscure kranten, dus in Vlaamse kranten. Ze werden lang niet altijd serieus genomen...'

Huib streek door zijn haren en leunde met de ellebogen op de tafelrand, hij was zelden zo moe geweest en zo boos. 'Iedereen wist toch hoe het zich in werkelijkheid had toegedragen? Is er niemand geweest die protest aantekende?'

Jean lachte triest. 'Protest? U moet eens lezen wat die Belgische kranten de eerste jaren schreven over deserteurs en andere veroordeelden, ook onze eigen Vlaamse kranten deden dat. Goed dat ze afgeschoten waren, ze waren een schande voor het vaderland, verraders, zo werden ze genoemd. Soldaten die waren gevlucht naar Nederland en terugkeerden na de oorlog, werden met hoon overladen.'

Anna knikte en merkte op: 'Maar er zijn altijd moedige mensen geweest, die de waarheid vertelden over wat er werkelijk gebeurde aan het front. Ze werden jarenlang uitgekreten voor leugenaars en slappelingen, die de vrijheid niet waard waren. Pas nu begint het door te dringen, maar het verscherpt alleen de tegenstellingen in dit land...'

Nonkel Jean keek op. 'De moed een mening te moeten herzien is niet iedereen gegeven, jongen. Het is gemakkelijker te volharden in uw oude opstelling. Trouwens, mannen als Vanderheijden waren tot voor kort onaantastbaar. Ze hadden te veel vriendjes op hoge plaatsen en kwamen overal onderuit. Ik denk dat zelfs nu nog niemand hen ter verantwoording zal durven roepen.'

'Toch wel, hij werd doodgeschoten...'

'Het is ook een moord,' zei Anna heftig. 'Toen het eenmaal vrede was, verdween hij uit het openbare leven. Men beweert dat hij onder druk ontslag heeft genomen uit het leger. Maar hij behoorde tot de hoogste families in het land, met alle privileges die daarbij horen.'

Huib knikte bruusk. 'Maar mijn vader werd wel vermoord, net als die andere.' Hij keek op. 'Kent u de naam van de andere man?'

Jean zweeg iets te lang, alsof hij diep nadacht, toen schudde hij langzaam het hoofd. 'Ik heb die naam nooit vernomen. Men spreekt niet over de mensen, die zijn doodgeschoten door hun eigen landgenoten. De leden van zo'n vuurpeloton denken er nu waarschijnlijk met diepe schaamte en zware schuldgevoelens aan, terwijl zij destijds weinig anders konden. Ik heb weleens gehoord dat sommigen dreigden te bezwijken onder de last van hun geweten. Anderen blijven roepen dat het ging om deserteurs en landverraders. Nee, over hen wordt niet gesproken, als het niet anders kan telt men hen gewoon bij de gesneuvelden.'

'Waarom zet men hun namen dan niet op de monumenten ter nagedachtenis aan de gesneuvelden? Dan weet over enkele jaren niemand meer ergens van,' zei Huib schor.

'Waarom denkt u?' kwam het zacht. 'Dan zou men toegeven dat er verkeerde beslissingen waren genomen. Het wordt simpelweg doodgezwegen. Wij hebben alles geprobeerd om Corneel te rehabiliteren, zelfs de koning hebben wij benaderd.'

'Dat hielp niet?'

'Nee,' kwam het kort.

'Maar mijn vader ligt wel begraven op het militaire ereveld bij de slagvelden van Diksmuide?'

Jean schudde het hoofd. 'Nee, jongen, het lichaam van je vader is nooit teruggevonden. Hij werd samen met de andere man ergens in de grond gestopt vlak bij de plaats waar ze werden doodgeschoten. Nog geen week later werd daar hevig gevochten en een voltreffer vernietigde alles, niet alleen hun graf maar ook de stellingen van de soldaten. Officieel zijn vele duizenden soldaten vermist, of het nu Engelsen, Duitsers of Fransen zijn. Hun lichamen zijn nooit teruggevonden omdat er een granatenvuur boven hun laatste rustplaats losbarstte. En als er al een lichaam werd teruggevonden, heette het: een onbekende soldaat. Meestal was het niet meer dan een paar botten. Ga maar eens kijken op de erebegraafplaatsen in de Westhoek. De helft van de kruisen draagt de naam: onbekend. Zoals een dichter zei: er zijn meer graven dan bloemen in dit land. In die omgeving heerste de tactiek van de verschroeide aarde, er stond geen huis, geen boom meer overeind. Men herbouwt er nog alle dagen...'

Tante Anna legde haar hand op die van Huib. 'Dat wij weten wat er gebeurd is, hebben wij te danken aan een luitenant die het tot zijn levenswerk heeft gemaakt om misstappen aan te kaarten en te herstellen. Hij is nog dagelijks bezig met rehabilitaties voor een aantal soldaten. Hij zou u veel kunnen vertellen.'

Huib zag niet dat Jean heftig het hoofd schudde.

'Ik wil hem graag spreken,' zei hij.

'Dat kan. Hij zal ook graag met u willen spreken. Hij woont hier in de buurt, in Gent,' zei Anna eenvoudig.

'Ik vind het geen goed idee,' zei de oom ineens. 'De man staat niet goed bekend. Men heeft hem aangewreven dat hij Duitsgezind was in de oorlog en zelfs nu schijnt hij een aanhanger van die Hitler in Duitsland te zijn.'

'Nou ja, dat moet die man toch zelf weten...' meende Anna.

De oom kende die vent blijkbaar persoonlijk. Hij knikte met een kort gebaar. Goed, ze gingen naar de man toe. Maar Huib moest zich wel realiseren dat de man een aanhanger was van een zelfstandig Vlaanderen en die gedachte hing Jean niet aan.

Huib zweeg. Hij was geschokt en dat overkwam hem niet vaak. Zijn vader was doodgeschoten als zogenaamde deserteur, want daar kwam het op neer. Had die kolonel dan geen geweten? Nog jaren na de oorlog durven praten over lafaards, die het verdiend hadden tegen de muur gezet te worden... De vent zat ver weg van het oorlogsgewoel en merkte amper iets van het front.

'Hebben ze die kolonel na al die jaren te pakken genomen vanwege dat gesprek met de krant waarin hij de soldaten laf en verraderlijk noemde?' vroeg hij.

'Er is geen bewijs voor, maar ik geloof het zeker. De tijden veranderen langzaam maar zeker, de wetten worden aangepast, de Vlamingen emanciperen toch een beetje. De Vlaamse taal is in opmars en is nu officieel erkend en wordt ook gebruikt in akten en in de rechtspraak,' merkte Anna op.

De oom knikte instemmend. 'De Vlamingen worden fanatieker en opstandiger, zoals de Walen dat noemen. Ze laten hun stem horen en stellen soms ook eisen. Ze maken hun oorlogsverhalen bekend en ontzien de officieren daarbij niet. Ik denk dat die kolonel daarom meende zich te moeten verdedigen, maar hij maakte het alleen maar erger door zijn stompzinnige arrogantie. Het is een feit dat er al langere tijd mensen waren die wraak hadden gezworen op een aantal van die hoge officieren.'

Ja, wraak, dat was het, dacht Huib. Roofmoord? Geen sprake van. Misschien hadden ze hem al veel eerder willen aanpakken.

Hij voelde de woede trillen in zijn binnenste. Een woede zoals hij zelden in zijn leven gevoeld had. Het was goed dat de vent dood was. De kinderen een vader ontnemen, een vrouw haar man, ouders een zoon.

Om het moreel op te krikken, wat voor een moreel moest dat dan zijn? Nee, een geweten hadden die lui niet. Zeker niet in oorlogstijd. Daarin had moeder Hanne groot gelijk.

12

Huib sliep die nacht niet. Hij woelde in zijn bed en zijn gedachten zwierven over de hele wereld, zoals hij het noemde. Van zijn moeder naar zijn nonkel, van het kleine zusje dat de dood vond bij een bombardement tot zijn stiefvader, die een nieuw bestaan bood aan een vrouw, die zo geslagen was door het leven. Maar vooral zijn vader. Doodgeschoten omdat het moreel van de troepen opgevijzeld moest worden, een voorbeeld moest worden gesteld. Wat deed een oorlog met mensen? Hij maakte beesten van hen.

Wat moest zijn moeder hebben geleden, het verdriet om haar dochter brandde nog alle dagen in haar hart en dan kwam er nog een dreun: haar echtgenoot gesneuveld aan het front.

Hij herinnerde zich er nog vaag iets van. Haar verslagenheid, haar bijna hysterische gehuil, de wekenlange neerslachtigheid waar ze niet weer uit scheen te kunnen komen. 'We hebben alleen elkaar nog, jochie,' zei ze. 'We zitten in een vreemd land, ver van huis en familie, maar we hebben nog een dak boven het hoofd en we hebben te eten.' Toen dacht ze nog dat hij gesneuveld was. Ze had gelukkig niet geweten wat er toen werkelijk gebeurd was, dan was ze waanzinnig geworden.

Wie had het haar later meegedeeld? Was er een officieel schrijven gekomen van de overheid waarin koud en emotieloos vermeld werd dat de korporaal Bosschaard wegens lafheid was terechtgesteld en daarom kwam zijn weduwe niet voor enig pensioen of iets van dien aard in aanmerking? Was het zo gegaan?

Ineens zat hij overeind in zijn bed. Hij herinnerde zich die dagen toen het weer vrede was in 1918, 1919. Iedereen was blij dat die ellendige oorlog achter de rug was, het zou nu beter worden voor iedereen, was de algemene hoop en er mocht nooit weer oorlog komen. Dat was ook de gedachte in Nederland, waar de ontbering niet aan voorbij gegaan was. Moeder was hertrouwd met Egbert Maatman, Celestine was nog geen twee maanden oud. Toen moest die brief gekomen zijn. Huib was toen een jaar of tien, een kleine jongen en veel te wijs voor zijn leeftijd.

Hij herinnerde zich die weken dat moeder met een versteend gezicht door het huis liep, onaanspreekbaar voor iedereen en dat zijn stiefvader niet wist wat hij moest doen; de dokter kwam soms drie keer per week over de vloer...

Achteraf had hij begrepen dat er zelfs gesproken was over opname in een tehuis, een zenuwinrichting. Egbert had dat niet toegestaan. Het moest de tijd hebben, had hij gezegd. Ieder mens zou te veel krijgen van dergelijke berichten en gebeurtenissen. De oorlog had zijn vrouw heel diepe wonden toegebracht en de tijd moest die wonden helen.

Wat was het een zegen dat hij er was, er gewoon was voor haar. Anders was het verkeerd afgelopen... Zijn stiefvader had het niet gemakkelijk gehad in die maanden.

Huib sloot zijn ogen in het donker, zijn vuisten balden zich. Misschien wist die luitenant, waarover de tante sprak, meer van die afgrijselijke gebeurtenis. Vast wel, die man had het tot zijn levenswerk gemaakt om misstanden uit de oorlog aan de kaak te stellen. Hij moest met die militair praten, ook al was nonkel Jean er niet van gecharmeerd.

Twee dagen later stapte hij met de nonkel in de bus naar Gent. Jean had zijn neef de dag nadat dat verhaal was verteld, gadegeslagen toen hij aan de tafel zat en naar buiten staarde. Het regende en het was zelfs niet vorstvrij, het was miezerig, smerig weer, te koud voor de tijd van het jaar.

Huib had de halve dag geen drie woorden gesproken, maar het had gestormd in zijn hoofd. Hij was nog steeds machteloos woedend.

Hij was zwijgend aan het werk gegaan, de hooizolder opruimen, daar kon hij zijn woede en agressie kwijt. Ook buiten bij het timmeren van een aantal hekken.

Ze hadden hem maar met rust gelaten en de vragen die hij tijdens het eten op hen afvuurde zo goed en zo kwaad mogelijk beantwoord. Hij kreeg ook veel voor zijn kiezen, begrepen ze. Hanne had hem dit niet kunnen vertellen, hadden ze elkaar toegefluisterd. Hanne had het zelf niet verwerkt...

Langzaam had hij het beeld gekregen van zijn vader, een man die maar één ding wilde: een beter leven voor zijn gezin en zichzelf. Een eigen zaak, waarin hij zich kon uitleven in de liefde voor zijn vak, timmeren en meubels maken.

Een man die nooit een opstandeling zou worden, zelfs al was hij een fervente aanhanger van de Vlaamse beweging. Hij had er de moeite en de opoffering niet voor over. Hij koesterde geen grote idealen over een betere wereld, daar was hij te nuchter voor. Hij wist te goed dat al die idealisten uiteindelijk dezelfde doelen nastreefden als diegenen die zij bestreden. Er werd maar al te vaak in hoogdravende woorden gesproken over een betere wereld, maar het was vaak weinig meer dan een ordinaire jacht op macht en rijkdom. Corneel Bosschaard wist dat maar al te goed.

Hij ging zijn eigen gang. De strijd om het dagelijkse bestaan was voor hem strijd genoeg, al kon hij slecht tegen onrecht. Toen het vaderland riep, ging hij niet met plezier, maar hij ging, zoals iedereen dat deed.

'Wij gaan naar Gent,' zei de nonkel op de avond van die moeilijke dag. 'Ik heb getelefoneerd en wij zijn welkom bij luitenant Lenaerts. Maar een ding wil ik u zeggen: let op uw woorden, dat zal nodig zijn.'

De reis per bus werd zwijgend afgelegd. Huib had weinig oog voor het landschap, de huizen, de mensen. Het joelde nog steeds in zijn hoofd. Woede en verdriet streden om de eerste plaats.

Hij begreep nu zijn moeder, die eigenlijk nooit weer vrolijk was geweest. Hij had haar weleens kwalijk genomen dat ze vaak zo zwijgzaam, zo kortaf was. Ze had immers een goed leven gekregen bij Egbert Maatman. Waarom was ze dan zo ondankbaar, had hij soms gedacht.

De bus stopte een enkele maal om mensen in en uit te laten stappen zoals dat een paar dagen geleden ook gebeurd was. Toen zag hij niets. Het was zo goed als donker. Nu kon hij het landschap overzien en het interesseerde hem niet.

Hij reed door zijn vaderland, dacht hij bitter. Hij wilde eigenlijk alleen maar naar huis, naar Twente, de zusters en de ouwelui. Aan de tafel zitten en tegen zijn moeder zeggen: ik begrijp het nu allemaal, moeder...

Hij zou willen lopen door het bos en over de heide, langs de rivier en de fabrieksgebouwen om het hoofd weer fris te krijgen. Het zou nooit meer worden wat het tot voor een dag was geweest. Misschien had hij thuis moeten blijven in de zalige onwetendheid...

Nee, nu hij eenmaal die deur geopend had kon hij niet meer terug... Maar hij bleef hier geen twee weken zoals de bedoeling was geweest. Thuis trok ineens heel hard.

Jean stootte hem aan. 'Bij de volgende halte moeten wij uitstappen,' zei hij enkel.

De bus reed door een buitenwijk van de stad Gent, zag Huib. Ze waren nog lang niet in het oude centrum van de stad bij de kathedraal en de deftige huizen. Niet dat hij had verwacht daar ergens te moeten zijn, maar dit was een gewone wijk met normale huizen voor arbeiders en lager kantoorpersoneel.

Hij riep zichzelf tot de orde. Wat had hij dan verwacht? De man die ze gingen bezoeken stond niet in aanzien, daar kon je een lelijk woord op zeggen. Hij zou als een lastpak ervaren worden door de overheid. Ze zouden hem dwarszitten waar ze konden, die woonde niet in een fraaie villa, zoals die kolonel...

Hij stond op en volgde zijn oom toen de bus stopte. 'Tot verder op de dag,' zei de oom nog tegen de chauffeur. Huib knikte enkel.

Ze liepen langs de straat. Het was nog steeds kil ondanks dat het ruim in maart was. De bladeren aan de bomen wilden niet ontbotten, de eerste voorjaarsbloemen bleven veilig in hun schulp. Het kon 's nachts nog vriezen, zo koud was het. Uit niets bleek het naderende voorjaar met zijn zachte dagen en zijn lichte zon.

Er liepen weinig mensen buiten. Een enkele huisvrouw schoot snel de straat over om een paar boodschappen te halen. Het was zo bekend, dacht Huib. Zo ging het immers bij hen ook, in het verre Twente.

Jean kende het adres, zag Huib. Hij liep zonder aarzelen naar een kleine alleenstaande woning en belde aan. Het duurde niet lang of er werd opengedaan. Een forse man van rond de zestig met een dikke, grijs wordende snor stond in de opening. 'Ach, daar is hem dan. Kom binnen, kom binnen.'

Huib knikte. Hij was al gewend aan de sappige Vlaamse uitdrukkingen, de voor hem andere opbouw van de woorden.

Huib kwam in een smalle gang waar hij zijn jas kon ophangen en daarna stapte hij in een woonkamer met een grote tafel en een aantal stoelen eromheen. In de hoek stond een gemakkelijke stoel. Hij blies langzaam zijn adem uit. De muren van de kamer waren bedekt met kasten, die uitpuilden met papieren, ordners, mappen en andere paperassen. Er stond nog een radiotoestel op een klein tafeltje in de hoek.

In de andere hoek stond een bureau met daarop een zwarte schrijfmachine en een telefoontoestel. De man verontschuldigde zich, hij was een man alleen, hij had zijn huis beetje bij beetje omgebouwd tot een groot archief. Nee, hij was nooit getrouwd geweest, zei hij nog.

Ze moesten vooral gaan zitten, zei de man en in een oogwenk stonden dampende mokken koffie op de grote tafel.

Lenaerts schoof tegenover de twee aan en keek hen even zwijgend aan. Hij knikte. 'Uw vader, Corneel Bosschaard,' zei hij toen.

Huib knikte.

'U was niet op de hoogte van die trieste geschiedenis?'

Jean schudde het hoofd al. 'Hij was een manneke van nog

geen zes jaar toen hij wegvluchtte met zijn moeder. Zijn vader lag toen al in Diksmuide en Nieuwpoort. Het bombardement op onze stad was net gebeurd en de stad lag goeddeels in puin. Hij en zijn moeder zijn naar Nederland gevlucht.'

Lenaerts zuchtte. 'Het bekende verhaal. Meer dan een miljoen Belgen zijn naar Nederland gevlucht in die eerste maanden van de oorlog en ze waren maar amper welkom. Later werd de grens hermetisch gesloten door de Duitsers.'

Het klonk wat bitter, dacht Huib. Helemaal onterecht zou het niet zijn vanuit Belgisch oogpunt. De Belgische overheid en de Nederlandse verstonden elkaar niet te best. Een miljoen mensen eten geven en huisvesten was ook geen kleinigheid voor een land dat niet eens genoeg had voor zijn eigen mensen. Het was maar hoe je het bekeek.

Hij had in de laatste vierentwintig uur meer dan eens zijn mening over de verhoudingen tussen België en Nederland moeten bijstellen, besefte hij.

Lenaerts dronk zijn mok leeg en zette hem met een bons op de tafel. 'Ik heb u een goede mededeling te doen. Wij krijgen een nieuwe koning: Leopold. Meestal houdt dat in dat er rehabilitaties en amnestieën worden afgekondigd. De mogelijkheid bestaat dat uw vader een van hen zal zijn, zeker na de radio-uitzending van vorig jaar oktober toen er gewag werd gemaakt van doodvonnissen door de krijgsraad, die niet hadden mogen worden geveld. Die uitzending sloeg in gelijk een bom...' Lenaerts keek van de een naar de ander. 'Daarom meende Vanderheijden zich te moeten vrijpleiten in dat schandalige interview.'

Het interesseerde Huib niet zoveel. 'Daar krijgt mijn moeder haar man niet mee terug en ik mijn vader niet,' zei hij kortaf.

Jean legde zijn hand op de arm van zijn neef. Een beetje matigen, jongen, zei zijn blik. Denk aan wat ik gezegd heb: laat het achterste van uw tong niet zien.

'Het heeft meer te betekenen dan een simpel briefje waarin wordt vermeld dat hij achteraf gezien toch geen lafaard of een deserteur was. Het heeft te maken met onderscheidingen, met uitkeringen van pensioenen, met rechten op bepaalde privileges,' zei Lenaerts strak. 'Voor een weduwe kan het betekenen dat zij een menswaardig bestaan krijgt, verlost is van een schrijnende armoede en niet te vergeten van de nog steeds alom heersende verachting, die een deserteur jarenlang ten deel is gevallen. Ik had graag gezien dat alle standrechterlijk geëxecuteerden zouden zijn gerehabiliteerd, maar dat lukt helaas niet, nog niet. Soms is een overheid ongelooflijk star... Nee, uw vader krijgt u er niet mee terug, dat is maar al te waar.'

Huib zweeg.

Jean staarde de luitenant aan. 'Heeft die rehabilitatie ook te maken met dat merkwaardige interview van Vanderheijden?'

Lenaerts knikte kort. 'Dat zou een goede reden zijn geweest als hij niet vermoord was. Geen weldenkend mens die iets begrijpt van de Belgische kwestie snapt wat de man heeft bezield met die uitspraken. Hij moet toch hebben beseft hoe hij tegen de schenen schopte van talloze mensen.'

'Belgische kwestie?' vroeg Huib verwonderd.

De twee mannen knikten beiden. 'De ontvoogding van Vlaanderen door de Walen, wordt het genoemd. Jarenlang werd in dit land alles aan de Franse taal onderhevig gemaakt, de rechtspraak, het onderwijs, alles. De Nederlandse taal telde niet mee, Vlamingen waren boeren en onontwikkeld en zo werden ze ook behandeld, vooral in het leger en ook na de grote oorlog.'

Lenaerts zweeg een ogenblik, toen stond hij op en liep naar een van de kasten. Hij trok een map tevoorschijn en kwam terug. 'De meeste soldaten waren Vlamingen die in het Frans werden gecommandeerd en niet in het Nederlands. Daardoor zijn velen de dood in gejaagd,' zei hij en hij opende de map. 'Maar ook duizenden zijn gesneuveld vanwege de incompetentie van de diverse legerleidingen, zowel de

Britten als de Fransen. Zij dachten nog in strategieën die stamden uit de achttiende eeuw, toen werden veldslagen met de sabel en de bajonet beslecht, man tegen man, terwijl er in 1914-1918 met granaten en mitrailleurs werd gevochten en er vliegtuigen rondvlogen die bommen uitgooiden. Onzinnige bevelen werden gegeven die de soldaten de loopgraven uit joegen voor een paar meter landwinst, die een dag later weer werd verloren. Dat kostte honderdduizenden het leven. Men beweert wel dat koning Albert weigerde om die reden zijn troepen onder Brits en Frans bevel te scharen, maar zijn generale staf was weinig meer deskundig dan de Britten en de Fransen. Er waren al protesten gerezen door die onzinnige bevelen, bij de Fransen dreigde in 1917 zelfs een openlijke muiterij onder de soldaten. Dat protest moest de kop worden ingedrukt op een harde wijze, vond de legerleiding. Het was oorlog, vergeet dat niet. In oorlogstijd gelden andere regels, regels die ons in normale tijden onmenselijk voorkomen.'

'Ja, dan mag je je eigen mensen tegen de muur zetten om gehoorzaamheid af te dwingen,' zei Huib bitter.

'Nee, dat mag dan ook niet, maar het gebeurde toen wel, bij de Engelsen, bij de Fransen en ook bij de Belgen. Er werden doodvonnissen door de krijgsraad uitgesproken die bij een burgerrechter slechts tot enkele jaren gevangenisstraf zouden leiden, als er al een vonnis werd opgelegd. En zoiets zal opnieuw gebeuren, op andere plaatsen en in andere oorlogen,' kwam het rustig. 'Deze oorlog had een eind moeten maken aan alle oorlogen, dacht men in 1918. Het is naïef te denken dat zoiets mogelijk is. Er zijn alweer oorlogen geweest, waar ook ter wereld en er komt ook in Europa weer een oorlog. Dan zullen het voornamelijk onschuldige burgers zijn die omkomen. De slagvelden zijn verleden tijd.'

Ze zaten zwijgend langs elkaar heen te kijken. Ze voelden zich niet prettig en schoven wat over hun stoel.

'We mogen de realiteit niet uit het oog verliezen. Elke

gebeurtenis, ook een uit de oorlog, wordt anders beoordeeld als het ons zelf raakt. De moordenaar van ons kind knopen wij met liefde op aan de hoogste boom, maar knopen wij de moordenaar ook met liefde op als het ons eigen kind is dat de moord pleegt?' zei de militair kalm. Hij keek de twee tegenover hem strak aan. 'Ik verzeker u dat er binnen tien jaar weer een oorlog uitbreekt, groter en bloediger dan die wij achter de rug hebben.'

'Nee, nee,' zei Huib overtuigd.

Lenaerts glimlachte. 'Ja, ja, meneer Bosschaard. U zult nog eens aan mijn woorden denken. De communisten zullen ons geen vrede en welvaart gunnen, leert u dat van mij.'

Huib voelde zich onplezierig. Zijn gedachten gleden naar de Nederlandse jongeman, die nog jonger was dan hij en die afgelopen januari was onthoofd in Duitsland. Hij zou de Rijksdag in brand hebben gestoken, hij was een communist. Er waren genoeg protesten geweest tegen de rechtszitting en het vonnis; ze werden zonder commentaar terzijde geschoven. Een voorteken, zoals sommigen beweerden?

Wat zat deze man te kletsen over de communisten? Wat dacht hij van de Nazi's? Geleerden en kunstenaars verlieten Duitsland vanwege de nieuwe machthebbers. Boeken werden massaal verbrand op stadspleinen en wetten werden opgesteld om hele groepen mensen tot rechteloze burgers te maken. Zag die man niet wat er allemaal in Duitsland gebeurde op ditzelfde moment?

Wat hadden ze op de boerderij gezegd: de man is Duitsgezind. Daar leek het inderdaad naar. Huib wilde eigenlijk wel weg. Lenaerts was hem te somber, te gelaten. Hij kon niet best overweg met dat soort mensen. Hij hoorde ook weinig nieuws over zijn vader, en daar was hij voor gekomen. Maar hij bleef zitten.

Blijkbaar bemerkte de luitenant dat de jonge Hollander ongedurig werd. 'Uw vader was korporaal, de andere terechtgestelde was een gewone soldaat van de infanterie, een oorlogsvrijwilliger,' zei de luitenant kalmpjes. 'Na die terechtstelling dreigde er een muiterij te ontstaan onder de troepen. De legerleiding en vooral de koning begrepen toen dat ze met dit soort acties meer verspeelden dan wonnen. Er zouden er nog twee worden doodgeschoten, maar er werd van hogerhand ingegrepen. Die laatste vonnissen werden niet uitgevoerd. Men wilde hen niet terugsturen naar hun onderdeel. Dat zou gezichtsverlies betekenen voor de legerleiding. Deze soldaten werden naar een speciaal bataljon gestuurd, dat in de vuurlinie vocht. Onnodig te zeggen dat zij ook zijn omgekomen.'

'Kende u de veroordeelden persoonlijk?'

'Nee, maar uw vader was niet de enige die dit lot moest ondergaan.' Het gezicht van Lenaerts veranderde. 'In België waren de mannen die ter dood waren veroordeeld over het algemeen gewone soldaten en meestal Vlamingen. Ze waren onschuldig, soms waren ze ziek door de onmenselijke omstandigheden van een lang verblijf in de loopgraven. De generaals hadden geen idee van het leven aan het front, ze hadden ook amper de moed om in de loopgraven te verschijnen,' zei Lenaerts.

Glimlachte hij, dacht Huib. Je zou het bijna zeggen.

'Er zijn officieren doodgeschoten door hun eigen manschappen, zogenaamd in het heetst van de strijd...'

'Mijn vader werd samen met iemand anders vermoord. Wie was de andere man?' vroeg Huib dwars door het verhaal heen.

'Waarom wilt u zijn naam weten?'

Huib staarde de man aan. 'Was het een vriend van mijn vader?' vroeg hij traag.

De militair schudde het hoofd. 'Nee, ze kenden elkaar niet eens.'

Huib knikte en vroeg niet verder. Iets deed hem voorzichtig zijn, hij wist niet waarom. Hij had ook geen idee waarom hij ineens de naam wilde weten van die andere man, ook al had hij de nonkel dezelfde vraag gesteld.

De map werd opengeslagen. 'De eerste man was Camiel

Janssen, de tweede was Corneel Bosschaard, uw vader.'

Huib zweeg. Camiel Janssen, de naam zei hem niets. Maar de man was tegelijk met zijn vader doodgeschoten, aangewezen door een kolonel die meende een daad te moeten stellen. Liet de man ook een vrouw en kinderen achter, zoals zijn vader? Liepen er ergens in dit land jongelui rond die misschien ook op zoek waren naar de waarheid van hun vaders dood? Hoe zouden zij reageren?

'Zijn er ook nabestaanden van die man?' vroeg Huib langzaam.

'Camiel Janssen was een oorlogsvrijwilliger.' De man aarzelde, zag Huib ineens. 'Hij had geen kinderen, daarvoor was hij nog te kort getrouwd,' kwam het kortaf. 'Zijn vrouw stierf nog voor hij overleed. Het was een heel kort huwelijk…'

Huib merkte dat de nonkel zijn wenkbrauwen fronste. Hij zag ook een verbaasde trek over het gezicht van Jean glijden. Was dit nieuw voor de oom? Had hij dit nooit geweten?

Hoe triest ook, maar de vrouw van Camiel had geen weet gehad van wat er met haar man was gebeurd. Dat was een geluk bij dat tragische voorval.

Jean keek hem even strak aan. Niet meer vragen, zei die blik. Denk aan wat ik je gezegd heb. Zijn gedachten waren dezelfde als die van Huib, dacht de jongeman. Jean vroeg zich af wat er met zijn schoonzuster gebeurd was als die Ollander er niet geweest was. Het was niet onmogelijk geweest dat ze die last niet had kunnen dragen.

'Uw vader was een echte Vlaming,' zei Lenaerts plotseling.

Huib schrok op uit zijn overpeinzingen.

Jean knikte meteen. 'Ja, dat was algemeen bekend. Maar echt zo fanatiek dat Corneel ervoor in problemen zou raken was hij niet. Dat was hem zijn aard niet. Maar hem stond erop in het Nederlands te worden aangesproken.'

Huib keek opzij, een beetje verbaasd, enerzijds over het

antwoord, anderzijds over de taal waar hij toch soms wat over na moest denken. Hem zijn aard niet... Hem stond erop... Hij merkte ook bij de familie dat hij erg goed moest luisteren om alles te verstaan.

'De taalstrijd is een felle strijd. Hij kon weleens tot de ondergang van ons land leiden. Twee culturen in een land, de Waalse en de Vlaamse, die niets met elkaar gemeen hebben en ook niets gemeen willen hebben. Er zijn Vlamingen, die pleiten voor aansluiting bij Nederland, de meeste wensen een zelfstandig Vlaanderen,' knikte Lenaerts. 'De jaarlijkse bedevaart naar Diksmuide, naar de IJzertoren, die een paar jaar geleden werd onthuld, wordt steeds meer een politieke manifestatie van de Vlamingen, steeds meer een politieke strijd voor de ontvoogding, zoals wij dat noemen.'

Jean knikte. 'Ik ben in 1920, toen de eerste bedevaart plaatsvond, mee gegaan, ter herdenking van de gevallenen van de oorlog. Daar heb ik de luitenant Lenaerts leren kennen,' zei hij tegen Huib. Hij keek Huib opnieuw strak aan, er lag iets van een waarschuwing in zijn ogen.

Lenaerts knikte.

'Daarna ben ik niet meer gegaan,' zei Jean rustig. 'Toen ik in die velden rond Diksmuide was, de dodengang naar het front aanschouwde, zag ik de waanzin van de mens recht in de ogen. Nu is het meer een politieke beweging van oud-soldaten, die hoopt op een zelfstandig Vlaanderen en vooral op: nooit meer oorlog.'

Het klonk wat korzelig, alsof de oom wilde benadrukken dat hij het daar niet mee eens was. Lenaerts zweeg. Huib maakte een beweging van opstaan. Hij wilde weg. De luitenant kon hem niets nieuws meedelen, dacht hij. Jean volgde hem en stond ook op.

'Uw vader was geen lafaard, meneer Bosschaard, uw vader was een soldaat die onder zware omstandigheden heeft gevochten, die het leven verloor door een beslissing, die nooit had mogen worden genomen, die onwettig was.

Dat zou men moeten erkennen, maar helaas...' zei Lenaerts achter zijn rug.

Huib knikte. Daar was hij van overtuigd. Dat had ook zijn moeder gezegd. Je hebt een vader om trots op te zijn...

'Men had Vanderheijden beter niet kunnen vermoorden. Men had hem naar aanleiding van dat artikel in de krant moeten dagen wegens belediging van de vele gesneuvelden. Maar dat soort mannen zal nooit worden veroordeeld,' zei Lenaerts plotseling.

'Dat ben ik volkomen met u eens, luitenant,' zei Jean rustig. 'Dat soort mannen ontstijgt de wetten van een land.'

Ze schudden de luitenant de hand en namen hun jassen van de kapstok. De militair borg de mappen weer in een diepe kast, maar ineens vroeg hij: 'Ik heb ook nog een vraag. Kent u Belgische soldaten en desnoods nabestaanden van hen, kinderen, echtgenotes, die in Nederland wonen? Hebt u daar misschien contacten mee? Uw moeder is toch Belgische?'

Huib voelde de argwaan als een brede golf door zich heen slaan. Pas op, schoot het door hem heen, denk aan wat de nonkel zei. Pieter Nijs, die openlijk toegaf gedeserteerd te zijn, Anneke, vooral Anneke, het meisje dat al jarenlang illegaal bij haar oom en tante woonde.

Wat had deze man daarmee van node? Wat ging het hem aan? Hij was alleen maar een oud-militair die zich inzette voor misstanden uit de oorlog. De Belgen die in Nederland waren gebleven, hadden zijn zorg niet nodig.

Ook Jeans gezicht verstrakte zichtbaar. Zijn ogen waarschuwden de jongeman voor de derde keer die middag.

'Behalve mijn moeder ken ik niemand in mijn omgeving die uit België afkomstig is,' zei Huib kalm en zonder blikken of blozen. 'Er waren wel Belgen in mijn dorp gedurende de oorlog, maar die zijn allemaal na de oorlog teruggekeerd.'

De luitenant keek hem vorsend aan en Huib keek even stroef terug. Nee, man, je hoort van mij niets over Anneke of over Pieter. Je bent en blijft een militair en de arm van de wet is soms onverwacht lang.

Hij deed een stap naar de deur en opende die. De kou joeg naar binnen en Huib voelde de rilling over zijn rug trekken ondanks de warme jas die hij droeg.

Jean bleef nog even staan. 'Waarom stelt u die vraag, luitenant?' vroeg hij langzaam. 'U hebt hem mij ook al eens gevraagd.'

De militair wendde zich af. 'Het is een persoonlijke interesse,' zei hij toen langzaam. 'Ik maak mij bezorgd over een aantal kinderen dat verdween in die jaren, spoorloos verdween.'

Huib staarde naar buiten alsof het hem niets deerde. Pas op, man, laat niets merken, schoot het door hem heen. Anneke en haar familie zijn niet voor niets zo bang.

Lenaerts merkte op: 'In de oorlog waren er Belgische kinderen in Nederland, die wees werden. Zij zijn na de oorlog niet teruggekeerd naar België. Er zijn familieleden die hen nog steeds zoeken. Die kinderen horen in België thuis, ze hebben de Belgische nationaliteit.'

'Die kinderen zijn ondertussen toch volwassen,' zei Huib ineens. 'Als zij niet terug willen, houdt het op. Ze zijn gewend aan hun nieuwe vaderland.'

'Door internationale verdragen moeten ze onherroepelijk terug, ook als ze meerderjarig zijn. Ze zijn namelijk illegaal in uw land of in Zwitserland,' kwam het heftig.

Huib zweeg geschrokken. Dus Anneke was niet veilig als ze straks eenentwintig jaar was, want de Nederlandse autoriteiten konden haar alsnog het land uitzetten. Zouden ze het ook doen? Hoe zouden ze reageren op een aanvraag voor de Nederlandse nationaliteit?

De familie had alles geprobeerd, had Anneke gezegd. De kans was aanwezig dat ze alsnog over de grens werd gezet, besefte hij. En dan?

Lenaerts haalde berustend de schouders op. Als je niets weet, houdt alles op, scheen hij te denken.

Huib stapte naar buiten in de miezerige namiddag, Jean eveneens. Ze nam vriendelijk afscheid, bedankten de man voor zijn tijd en voor de inlichtingen. Toen ze naar buiten liepen, keek de luitenant hen zwijgend na door het raam. Toen liep hij naar het kleine bureau en pakte de telefoon.

13

In het kleine dorp in Twente haastte Hanne Maatman zich naar de kruidenier en de slager. Ze had verschillende boodschappen nodig voor de zondag en ze was blij dat ze het allemaal nog kon betalen zonder al te veel moeite en gebreken.

Ze had een inkomen van Egbert en de meisjes, al was dat laatste maar een klein bedrag. De meisjes moesten hard sappelen voor weinig geld.

Celestine had gisteren bij thuiskomst in tranen verteld dat de dominee vond dat hij het loon naar beneden moest bijstellen. De tijden waren zwaar, gaf hij als reden. Maar de man betaalde al bijna niets. Die wilde letterlijk voor een cent op de eerste rang zitten.

'Als blijkt dat hij je minder betaalt, vertel je hem maar dat je stopt met het werk,' had Egbert ineens opgemerkt. 'Je komt regelmatig huilend thuis omdat ze je ronduit onbeschoft behandelen en het wordt elke dag later voordat je thuiskomt. Het is nu ook al bijna halfacht. En nou zullen ze je ook nog het vel over de oren halen door het loon te verlagen? Er zijn grenzen. Als jij niet durft op te zeggen, ga ik er wel even langs.'

Hanne had bedacht dat het misschien maar beter was dat Celestine daar vertrok. Het meisje werkte zich een ongeluk, maakte veel meer uren dan waarvoor ze aangenomen werd en daar moest ze dan blijkbaar nog dank je wel voor zeggen ook. De oude buurvrouw, die amper een rooie cent had te makken, betaalde beter dan de dominee. Hanne kon er slecht tegen dat het meisje zo vaak huilend thuiskwam. Het was ook niet normaal, je verwachtte van een dominee een andere houding.

Het was bekend dat dominee en zijn vrouw al vele dienstmeisjes hadden 'versleten'. Het was er niet prettig werken, dat zei het hele dorp. Maar je was blij dat je werk had in deze tijd. Nee, Hanne mocht niet klagen, ze kon zelfs nog weleens wat buitensporigs kopen, zoals een eiercake, die de bakker sinds kort verkocht. Die smaakte toch anders dan haar zelf-gebakken koek. Niet dat ze er een gewoonte van maakte, maar met een uitzonderlijke gebeurtenis mocht het een keer...

Al was het boodschappen doen wel uitkijken, dacht ze. De prijzen vlogen omhoog in de winkels en de lonen zakten alleen maar. Het was al tijden geleden dat er een kleine opslag in het loonzakje van Egbert had gezeten. Het was vaker minder geworden dan meer.

Er waren gezinnen waar het er nog veel minder aan toe ging dan bij haar. Er waren families die noodgedwongen de hand moesten ophouden bij de diaconie van de kerk of bij het nationale steuncomité, dat enkele jaren geleden was opge-richt om de ergste nood onder de burgers te lenigen. Niemand deed dat graag, maar soms was het gewoon nodig.

Huib was inmiddels een week weg en Hanne was bang voor zijn terugkeer. Hoe zou hij reageren? Ze had nog niets gehoord van haar zoon, die in België ongetwijfeld de waar-heid zou ervaren over zijn vader. Als Jean die wist te omzei-len dan waren er wel anderen die het zouden meedelen: buren, vrienden, familie...

Wolter ten Have was al eens een avondje over de vloer geweest met een aantal vragen. Waarom Huib uitgerekend in deze tijd naar zijn vaderland was vertrokken? Hij had er nog nooit over gesproken, het land trok hem helemaal niet, had hij altijd gezegd. En nou ineens zonder nadere aankondiging was hij op weg naar België. Nee, dacht Egbert, Huib is niet op weg naar België, hij is terug naar Vlaanderen, naar zijn vader.

'Hij kon het nu doen,' zei Hanne kortaf. 'Als hij straks weer een baan heeft, komt het er niet van.' Het was te hopen dat hij snel weer werk vond, voegde ze eraan toe.

Wolter knikte instemmend. 'Maar het is niets voor Huib om op reis te gaan. Daar geeft hij helemaal niet om, zegt hij altijd. Trouwens, wie van ons soort mensen wel?'

Ja, daar had Wolter gelijk in. Huib en op reis hoorden niet bij elkaar. Het gras was overal groen, was zijn gezegde en er waren weinig streken in Nederland waar het beter en mooier in de natuur was dan hier in Twente. En dat was iedereen van harte met hem eens.

Wolter had trouwens nieuws voor Huib. Hij had weer werk gevonden.

'Toch niet voor een paar weken, zoals Jaap?' vroeg Egbert meteen.

Wolter knikte lachend. 'Maar als het weer goed is, ga ik toch naar het veen,' zei hij vrolijk. 'Tot zolang kan ik terecht bij de zuivelfabriek.'

'Op de plas?'

Wolter knikte opnieuw. 'Ja, niet het mooiste werk, maar het betaalt goed, beter dan in de textiel.' Hij aarzelde even. 'Misschien kan Huib daar straks aan de slag als ik naar het veen ga.'

Egbert gaf geen antwoord. Huib zou niet zitten wachten op dat soort werk, dacht hij. Eerlijk gezegd Egbert ook niet. Het werken in die stinkende zurige omgeving van de kaasmakerij lag Huib niet en Egbert werd al misselijk als hij langs de fabriek liep.

'Dat moet Huib beslissen,' zei hij neutraal. Maar hij zou het zijn stiefzoon dringend afraden. Huib moest een andere weg gaan, dacht hij. Huib moest zijn eigen brood gaan verdienen. Daar was die jongen het beste mee gediend. Hij moest voor zichzelf beginnen.

Hanne had geen enkel woord gezegd. Ze vond het netjes van Wolter dat hij aan zijn kameraad dacht. Werk was werk en bij de zuivelfabriek werd redelijk goed verdiend. Aan de andere kant: Huib had al een paar keer een opmerking gemaakt dat hij speelde met de gedachte om voor zichzelf te beginnen. Hij was handig en de mensen wisten dat hij goed werk leverde. In de weken dat hij nu bij de deur liep had hij meerdere mensen voortgeholpen, ook een jongeman die elektriciteit in zijn pasgekochte woning wilde aanleggen. Het was een oud huis waar nog van alles aan gebeuren moest. De oudere mensen die er altijd gewoond hadden stelden minder eisen aan de moderne tijd dan de jongelui. De ouderen vonden een olielamp genoeg, aan elektriciteit hadden ze geen behoefte. Dat was hun keuze, maar zelfs Hanne wilde niet weer terug naar de petroleumboer, al had ze nog steeds een klein petroleumstel op de deel staan voor het bereiden van een pan verse soep.

Huib had het werk bij de jongelui netjes afgeleverd. Hij had er een goede prijs voor gekregen. De reclame ging van mond tot mond. Er waren al mensen aan de deur geweest voor karweitjes en opdrachten sinds hij weg was.

Het was helemaal niet zo gek om zelf een zaak te beginnen, dacht Hanne. Egbert was er een sterke voorstander van, al had Hanne aan het idee moeten wennen. Huib kon veel, hij timmerde ook rustig een schutting of groef een greppel uit. Er begonnen meer mensen met een eigen zaak. De weduwe Fransen had in het voorkamertje een kruidenierswinkeltje geopend. Ze moest toch wat en ze was netjes en eerlijk. Het blonk overal. Hanne ging er geregeld naar toe, al stelde de kruidenier dat niet op prijs. Maar daar had ze geen boodschap aan. Als Hanne voor de gekochte goederen betaald had, waren aan alle verplichtingen aan beide zijden voldaan, zei ze steeds. De winkelier had geleverd en zij had betaald. Daarmee hield het op. Met de oude gewoontes om bij roomsen te moeten kopen of bij protestanten, hield ze zich niet bezig. Sommigen vonden dat een ongepaste mening, maar Hanne was er niet af te brengen en Egbert gaf haar in zijn hart gelijk.

De fabriek gaf geen vast bestaan meer, vond hij. Vroeger ging je de fabriek in als kind en je kwam er als een oude kerel weer uit. Je had werk voor het leven. Een arbeider was de laatste jaren te veel afhankelijk van hoge heren en de wereldhandel geworden. Een keer protesteren en je stond op straat, dat was altijd al zo geweest, daarom zweeg je maar liever. Je loon ging ook bij het minste of geringste naar beneden, dat ging ook al altijd zo. Maar die massale ontslagen vielen pas de laatste paar jaar.

Nee, eigen baas worden was niet slecht... Je hoefde ook tegen niemand dank je wel te zeggen.

Hanne piekerde liever over de toekomst van haar zoon dan te denken aan de jongen, die nu bij haar zwager in België aan de tafel zat. Wat hoorde hij daar en hoe reageerde hij erop? Hoe zou hij denken over het land zelf? Het was uiteindelijk zijn geboorteland. Soms zou ze ook weer naar dat land toe willen. Dat grafje van haar dochtertje bezoeken, de plek waar Corneel omgekomen was. Je kon wel zeggen dat je op een kerkhof niets te zoeken had, maar toch, die twee plekken in dat verre land lagen haar zo na aan het hart... Ze had daar veel achtergelaten, te veel.

Zou Jean hem meenemen naar Rosa, haar zuster? Ze had het hem in de laatste brief nog op het hart gebonden: niet naar Rosa gaan met Huib. In verloren momenten huilde ze soms nog om haar zuster, tranen van woede en haat.

Jean begreep dat, Anna waarschijnlijk niet. Anna was te zachtaardig en te vergevensgezind. Hanne vergaf haar zuster nooit meer die afgrijselijke woorden die ze had gezegd en geschreven toen bekend werd hoe Corneel aan zijn eind was gekomen.

'Deserteur?' had ze met een vies gezicht tegen Jean gezegd. 'Het is goed dat ze hem hebben doodgeschoten. Dat soort lieden verdient niets beters.' Ze had de brutaliteit gehad om die woorden aan haar zuster in Nederland te schrijven.

Jean had haar duidelijk gemaakt hoe fout haar oordeel was. Hoe weinig ze had geweten van machtige heren en hun spelletjes. Maar het kwaad was geschied. Hanne had de woorden gelezen en ze had een brief teruggeschreven met slechts enkele zinnen: 'Ik heb geen zuster meer. Ik wil u niet meer kennen al zult ge dood voor mijn voeten liggen.'

Rosa was vele malen bij Jean geweest om te proberen met zijn hulp de band met haar enige zuster te herstellen. Het had niet mogen baten. Jean bleek even hard te zijn als Hanne.

'Had uw tong liever afgebeten in plaats van uw zuster zo te grieven. Nee, ik kan niets voor u doen en ik zal het ook niet doen.'

'Ik heb maar een zuster,' had Rosa gejammerd.

'Dat had u eerder moeten bedenken alvorens dat gif te spuien,' had Jean gezegd en had haar verzocht te vertrekken. Corneel was ook zijn broer...

Anna had enig begrip. 'Het is niet goed wat u gezegd hebt, Rosa, bij lange na niet. Maar een mens moet kunnen vergeven. Ik kan u die woorden wel vergeven, maar ik weet niet of Hannelore dat kan.'

Hanne bleef onverzoenlijk. Zelfs een brief waarin werd vermeld dat Rosa ernstig ziek was, verdween in het fornuis en werd niet beantwoord.

De jonge zusters van Huib wisten niet eens dat er nog een tante was die in Antwerpen woonde. Huib herinnerde zich ook weinig van een jonge vrouw, die voor de oorlog een enkele keer bij zijn moeder kwam.

Toen hij er eens naar vroeg, hij woonde al in Nederland, kwam het kort en bondig dat die tante niet meer leefde. 'Ook dood door de oorlog?' vroeg de kleine jongen, want iedereen ging dood door de oorlog in zijn ogen.

'Ja,' zei Hanne overtuigd en voor haar gevoel naar waarheid.

Hij had nooit weer gevraagd.

Stel dat Anna in een onverwacht moment zich liet ontvallen dat Rosa nog leefde, dacht Hanne, en voelde nog steeds de woede door zich heen trillen.

Ze zuchtte hoorbaar en keek geschrokken om zich heen. Ze was diep in gedachten verder gelopen dan ze wilde. Dat had ze de laatste dagen meer, ze was afwezig en vergat regelmatig iets te doen wat ze zich had voorgenomen.

Onrust, besefte Egbert, onrust en angst en misschien een beetje boosheid. Hij maakte er geen opmerkingen over.

Ze moest naar de kruidenier en de slager, die hadden hun winkels naast elkaar. Ze was al een eind verder gelopen. Met een ruk keerde ze zich om en liep terug naar de slager. Er stond nog een klant voor haar. Toen de vrouw zich omdraaide, knikte ze kort naar Hanne en wilde langs haar heen naar buiten lopen.

Ineens zei Hanne: 'Huib is naar België.'

De vrouw knikte kort. 'Ik heb het vernomen. Hoe kwam hij daar ineens bij?' vroeg ze enigszins gespannen.

'De dood van die kolonel,' zei Hanne enkel.

De vrouw zuchtte. 'Ja, dat is misschien ook wel te begrijpen. Ik hoop dat het goed gaat.'

'Ik ook, ik ben er wel bang voor. Misschien heb ik er al die jaren toch verkeerd aan gedaan door hem overal buiten te houden.'

'Misschien ook niet. Ze zeggen toch: alles weten is alles begrijpen, maar niets weten is soms beter voor je gemoedsrust.'

'Ja, maar het brengt ook onzekerheid. Er zijn altijd mensen die meer weten dan je lief is.'

De vrouw glimlachte triest. 'Ja, zeg dat wel. Maar hij vroeg nergens naar.'

'Ja, en onverwacht sterft er een onbekende man in een ander land en dan blijkt je hele zielenrust volkomen verdwenen. Dat was er bij Huib aan de hand.'

'Precies.' De vrouw liep de straat op. 'Tot ziens, vrouw Maatman,' zei ze met gebogen hoofd.

'Tot ziens, vrouw Verbaan,' zei ze langzaam.

De vrouw keek nog even op. Toen zei ze zacht: 'Huib is nog even geweest voor hij vertrok. Hij deed een voorstel aan onze dochter. Hij heeft haar een trouwring aangeboden, dan kan ze in Nederland blijven.' De vrouw keek schuw naar Hanne, die bleek werd van schrik. 'Het is misschien een hele goede oplossing...' Toen keek ze weer naar de straatstenen en liep snel weg.

Hanne slikte iets weg, ze was doodsbleek geworden.

De slager keek verwonderd van de een naar de ander. Hij begreep niets van het gesprek. Hij had het trouwens ook maar half verstaan.

De deur sloeg dicht achter de ene vrouw en de andere gaf haar bestelling op en lichtte niets toe. De slager vroeg ook niets. Het ging hem niet aan.

Hanne bracht bijna stamelend haar wensen naar voren, ze was er duidelijk niet bij met haar gedachten en schrok van het bedrag dat ze moest betalen. Ze liet snel een paar dingen terugleggen met een verontschuldiging over haar afwezige gedachten.

Ze betaalde en verliet de winkel om naar de kruidenier te gaan. Haar gezicht was nog even bleek. De boodschappentas trilde in haar handen. Was die jongen van haar nou helemaal gek geworden? Dat was het enige wat ze kon bedenken.

Vrouw Verbaan was in geen velden of wegen te zien.

Dezelfde avond keek Egbert over de krant en staarde naar zijn vrouw. 'Hanne, ik kwam Anneke Verbaan tegen. Ze vroeg of Huib al terug was.'

Hanne knikte stroef en bleef roeren in de pan met soep voor de zondag, die ze nu al bereid had. Een geur van verse groente en vlees hing in de keuken. Een bekende geur voor de zaterdagavond.

Egbert begreep het. Straks, als de meisjes uit de keuken verdwenen waren, naar een vriendin of naar bed. Dan kon Egbert verder vertellen. De meisjes zaten aan de tafel en speelden een spelletje met elkaar.

Liselotte keek op toen ze naam Anneke Verbaan hoorde. 'Vraagt die naar Huib? Waarom?' vroeg ze meteen.

'Huib is naar België,' zei Hanne kort. 'Dat is nieuws.' Ze wachtte even af. Kwam er commentaar? De meiden waren over het algemeen te druk met hun eigen zaken.

'Is ze dan alweer beter?' vroeg Liselotte spottend.

Hanne keek haar lichtelijk geërgerd aan. 'Liselotte, jij hebt geen oordeel te vellen over de zwakke gezondheid van iemand anders, duidelijk?'

Het meisje staarde haar moeder verwonderd aan. 'Nou, het

160

is toch zo,' bromde ze. 'Ze is al ontslagen bij de bakker omdat ze zegt dat ze ziek is, terwijl ze het niet is.'

'Ja, en als de bakker verstandig is haalt hij haar weer op,' zei Hanne kortaf.

'De bakker heeft nog niemand in de winkel. Hij zoekt iemand, zeggen ze. Mag ik gaan vragen?' vroeg Celestine ineens.

Egbert kuchte kort. 'Ze zoeken iemand die wat ouder is, minstens twintig, jij bent nog maar net vijftien, meiske.' Hij repte niet over het feit dat Anneke weinig ouder was geweest toen ze begon in de bakkerswinkel.

Hanne keek naar haar man. Hij keek terug. Het was maar de vraag of het prettiger werken zou zijn bij de bakker dan het zwoegen bij de dominee, dachten beiden. Vanavond kwam het meisje pas om ruim zeven uur thuis en dat op zaterdag. Zelfs de fabrieken sloten om twee uur.

Officieel zou ze om drie uur klaar zijn. Ze maakte bijna eens zoveel uren als afgesproken. Het loonzakje zou maandag komen, had de dominee gezegd. Dat was ook te laat, vond Egbert. Hij moest echt zijn dochter beschermen, dit leek zelfs op uitbuiting.

'Ik weet niet of het wel leuk werken is bij de bakker,' zei ook Hanne langzaam. 'Griete, zijn vrouw, is niet prettig in de omgang.'

Egbert stemde in. 'Dat hebben we vorige week nog gemerkt. Ze krijgt zelfs nog woorden met Huib.' Dat lukte bijna niemand, wilde hij zeggen.

Celestine keek bedenkelijk. De baan werd een stuk minder aantrekkelijk.

'Huib werd kwaad want het ging over Anneke Verbaan,' vermeldde de bijdehante Liselotte. 'De bakkersvrouw stond openlijk te roddelen over haar. Dat moet je niet doen waar Huib bij is, dan krijg je op je kop. Dat krijgen wij ook als wij het doen.'

Egbert grijnsde en verborg zich achter zijn krant. Zelfs Hanne kreeg een vrolijke trek om de mond en ging maar even koffiezetten. Haar gezicht was alweer verstrakt. Anneke Verbaan. De naam werd alleen maar heel terloops genoemd in dit huis en daar waakte ze ook voor. Maar vorige week werd Hanne bang toen ze Huib over het meisje hoorde. En vandaag had vrouw Verbaan verteld dat Huib Anneke een trouwring had aangeboden. De familie Verbaan stond er niet afwijzend tegenover, meldde ze.

Hanne zou woedend willen worden als Huib aan de tafel had gezeten. Ze had het al dagen vermoed en ze had zich niet vergist. Huib had een meer dan normale belangstelling voor het meisje. Onder andere omstandigheden zou ze misschien hebben gedacht: Nou, vooruit, maar eens kijken hoe het meisje is, als die gezondheid tenminste niet tegenvalt…

Nu was ze bang. Bang voor de toekomst. Twee zwaar geslagen kinderen met een oorlogsverleden. Beiden hun vader verloren aan het front in België… Anneke, die al jaren van hot naar her werd gesleept. En hoe kwam Huib terug uit België? Aangeslagen zou hij zeker zijn, maar verder?

Ze durfde er niet goed over te beginnen met Egbert. Ze had het gevoel dat vrouw Verbaan al een paar dagen haar gedachten erover had laten gaan en dat zij het idee van een huwelijk aantrekkelijk vond en Anneke zelf ook. Het loste alle problemen op. Voor hen wel, ja, maar haalden ze er geen probleem weer mee aan?

Hanne wenste dat haar zoon terug was uit dat land ten zuiden van Nederland. Hoe langer hij wegbleef, des te groter de kans dat hij dat hele nare verleden zou ervaren. En dan was het maar een stap en hij kende Annekes trieste verhaal ook. Twee mensen bij elkaar, gekraakt voor hun leven, dat kon niet goed gaan in een huwelijk.

En waarom niet, zei een stemmetje in haar hoofd. Kijk eens hoe jij er aan toe was, Hanne, en hoe het je nu gaat? Zonder jouw Egbert was het heel anders verlopen.

Huib is een evenwichtige man, die zal er zijn voor het meisje, zoals Egbert er was voor jou… Maar hoe was Huib er nu aan toe? Ze herinnerde zich haar eigen geschoktheid en

162

ontsteltenis toen haar die bizarre omstandigheden rond de dood van Corneel voorzichtig werden meegedeeld. Ze had dagen verdwaasd rondgelopen. Dat kon niet? Ze konden haar Corneel toch niet zomaar doodgeschoten hebben omdat een of andere hoge pief vond dat hij een voorbeeld moest stellen?

Ze had het niet willen geloven. Ze had gehuild tot ze geen tranen meer had. Eerst haar dierbare dochtertje verloren bij dat bombardement. De vlucht naar Nederland, het afschuwelijke nieuws dat ook Corneel was gesneuveld. En een paar jaar later werd zijn integriteit de grond in geboord: hij was als lafaard terechtgesteld. Dat was misschien wel het ergste geweest van alles. Want Corneel was geen lafaard…

Ze had geen medelijden met de man die afgelopen oudejaarsavond in het verre België vermoord werd. Precies wat hem toekwam, had ze gedacht.

Vrouw Verbaan zou geschrokken zijn toen ze vernam dat Huib naar België ging, ja natuurlijk, iedere keer als het woord België viel, schrok ze en haar man ook.

Hanne herinnerde zich die brief van jaren geleden, toen een volkomen onbekende vrouw haar schreef. Ze had met Pieter Nijs gesproken over die brief, samen met Egbert. Ze hadden rond de tafel gezeten in de warme keuken. Kunnen we veilig naar het dorp komen, was de vraag.

Pieter had teruggeschreven namens Hanne. 'Kom maar, er zal je hier niets gebeuren.'

Daar had hij gelijk in, er was ook niets gebeurd. Niemand had de nieuwkomers een strobreed in de weg gelegd. Niemand had een vraag gesteld. Er kwamen wel vaker mensen naar hier, ze kregen een baan in de fabriek en soms bleven ze hier. Soms ook niet, dan trokken ze verder naar Enschede of nog verder naar Duitsland of zelfs de oceaan over naar Amerika. Het dorp had veel nieuwe inwoners gekregen sinds de nieuwe textielfabriek vijftig jaar geleden was gekomen. De meeste inwoners waren hier niet geboren en het dorp had ook velen weer zien vertrekken.

De familie had hier haar rust gevonden, had ze Hanne op

rustige tijden toegefluisterd. Maar ze bleef bang. Bang voor ontdekking, bang voor vragen die de familie niet kon beantwoorden.

Hanne bemoeide zich weinig met de familie Verbaan. Voor het oog van het dorp kenden ze elkaar oppervlakkig, zoals ze iedereen oppervlakkig kenden. Het werden geen kennissen, geen mensen om bij op visite te gaan en zeker geen vrienden. Een knik, een korte groet, meer niet. Soms een paar woorden, zoals vanmorgen.

Dat was het beste voor iedereen, dacht Hanne, voor haarzelf, voor haar gezin, voor de familie Verbaan en ook voor Pieter Nijs. En nu had Huib het meisje ten huwelijk gevraagd. Hoe kreeg hij het in zijn hoofd? Was hij nou helemaal…

Hij had er niets van gezegd, waarschijnlijk omdat hij wel wist wat de reactie zou zijn. Hoe liep dit af? Met een zucht, die ze nog net kon binnenhouden, schonk ze koffiemokken vol.

De meisjes hadden allang weer iets anders in gedachten en merkten niets van de zorgen van hun moeder. Egbert keek over de krant naar zijn vrouw en knipoogde bemoedigend. Meisje, maak je geen zorgen over zaken die nu niet aan de orde zijn. Als dat moment komt, zien we wel weer. Dan kunnen we altijd nog maatregelen treffen.

14

Lang nadat Huib en nonkel Jean in de bus terug naar huis zaten was er nog geen woord gewisseld tussen hen. Ze waren allebei diep in gedachten. Het was ver in de namiddag voor ze weer huiswaarts keerden. Het sombere weer gaf aan dat het vanavond vroeg donker zou zijn, het was droog, maar dat zou het niet blijven.

Ze hadden vrij kort afscheid genomen van luitenant Lenaerts. Jean had nog even gedacht om te vragen waarom zijn broer destijds aangewezen was met die andere drie. Waren zij werkelijk deserteurs geweest? Iedereen dacht in die eerste jaren over deserteurs als over lafaards, die hun verdiende loon hadden gekregen.

Zelfs hij had in die eerste weken na dat schokkende bericht gedacht: Corneel, hoe kon u van uw post weglopen en uw vaderland verraden op deze laffe manier. Kort daarna had hij gelezen over jonge soldaten die terechtgesteld waren omdat de legerleiding het ziektebeeld van de *shell shock* niet kende, ook niet wilde kennen.

Jean had zich aan deze uitleg vastgeklemd. Corneel zou verdwaasd zijn geweest door die gasaanvallen, niet meer weten welke kant hij op was gelopen en het was de verkeerde kant geweest. De waarheid was nog erger: hij was aangewezen om als voorbeeld te dienen. Jean had de vraag al jaren geleden aan Lenaerts gesteld: was mijn broer werkelijk een deserteur?

Lenaerts had hem uitgelegd hoe het had gewerkt in die jaren. De angst voor muiterij, de zinloze strijd aan het front, de groeiende macht van die Vlaamse frontbeweging. De officieren hadden er geen ander antwoord op dan angst zaaien. Het had niet geholpen.

Rosa, Hannelores zuster, had haar mening in die tijd niet onder stoelen of banken gestoken. Haar zwager was terecht doodgeschoten, vond zij.

Zij moest leven met de waarheid die uit het onderzoek van

de luitenant bleek. Jean zou er Lenaerts dankbaar voor blijven, toch wilde hij weinig met de man van doen hebben. Lenaerts was te omstreden, vond hij, en er waren meer redenen waarom hij verre van die man moest blijven. Redenen die Anna zelfs niet kende.

Hij keek even opzij naar de jonge vent die naast hem op de harde bank zat en diep in gedachten naar buiten staarde. Ja, jongen, deze geschiedenis komt hard aan. Ik kreeg dezelfde klap, alweer vijftien jaar geleden. Het tekent u voor het leven en uw geloof in de overheid krijgt een harde dreun.

En nu hoor ik weer een aantal zaken, die ik nog niet kende, en het komt weer even hard aan.

De dood van de kolonel. Ook Lenaerts was van mening dat het vraaggesprek in de krant de directe aanleiding was geweest tot de moord. Er waren nog te veel mensen in Vlaanderen die met wraakgevoelens rondliepen, oud-soldaten, familieleden en kinderen.

Wist de luitenant wie er precies achter die moord zaten? Hij wist het niet, zei hij, maar hij had wel een vermoeden in welke richting hij moest zoeken. Hij was het er niet mee eens, maar naar zijn mening werd niet gevraagd.

De commissaris van de politie, die het onderzoek leidde, was geschorst. Dat was niet toevallig, vond Lenaerts. De man was een Vlaming en hij werd er van beschuldigd dat hij wist wie de moordaanslag had beraamd en het onderzoek in de richting van een roofmoord wilde dirigeren om de daders te vrijwaren.

'Hij had geen enkele aanwijzing, ook zijn Waalse collega niet. Maar hij kreeg in de schoenen geschoven dat hij de schuldigen afschermde,' beweerde Lenaerts.

'Had hij werkelijk geen aanwijzingen?' vroeg Huib nog.

De oud-militair had de schouders opgehaald. 'Hij is een politieman en geen militair. Het is een mijnenveld en dat begrijpt iedereen. Het is beter dat men ophoudt te vorsen. Roofmoord is een goed motief.'

De autoriteiten zouden dat inderdaad moeten doen, dacht

Jean. Dat was veiliger voor de algehele situatie. Voor men het wist werden de ontboezemingen misbruikt door bepaalde figuren en dan waren de gevolgen niet te overzien. Wie kon dan de vrijgekomen krachten nog in de hand houden?

Die kolonel had blijk moeten geven van enige zelfkennis, dan had hij zijn mond gehouden na die radio-uitzending waarin werd verhaald hoe sommige Vlaamse soldaten aan hun eind waren gekomen door de dood met de kogel, vond de luitenant. Jean was dat met hem eens. Misschien was het ook verstandiger geweest niet zo'n uitzending te maken, had Lenaerts gezegd. De tijd was er nog niet rijp voor. Sommige zaken konden beter verborgen blijven tot de ergste emoties waren weggevloeid.

'Zaken als het willekeurig doodschieten van eigen mensen hadden beter verborgen kunnen blijven?' vroeg Huib rauw en nauw bedwongen. De jongeman was gekwetst, dacht Jean en dat was volkomen begrijpelijk.

De luitenant had kort geknikt. 'Ja, vooral omwille van het landsbelang. De staat België hangt als los zand aan elkaar.'

'Of omwille van het belang van hoge heren?'

Lenaerts had gelachen, een wrange glimlach. 'De mensen die het weten, zwijgen, en de mensen die het niet weten ook.'

'Die moord zal dus nooit opgelost worden?'

'Ik hoop het niet,' was het raadselachtige antwoord.

Nu zaten Jean en Huib naast elkaar in de bus en ze naderden hun dorp alweer. Ineens draaide Huib naar zijn oom. 'Die Lenaerts weet drommels goed wie de daders zijn, of althans degenen die er de opdracht toegaven,' zei hij onverwachts. 'Want ze zullen het niet zelf gedaan hebben.'

Nonkel Jean knikte. 'Ja, dat geloof ik ook wel.'

Huib keek zijn oom recht aan. 'Waarom begon hij over kinderen die verdwenen zijn? Wat bedoelde hij daarmee?'

Jean zweeg even, toen zei hij langzaam: 'Hij heeft mij ook al eens gepolst over die kinderen. Ik heb hem gezegd dat ik daar niet mee op de hoogte ben, dat ben ik ook niet. Het is te hopen dat zij een goed bestaan hebben gevonden in hun nieuwe vaderland.'

Huib slikte iets weg. 'In mijn dorp woont een jong meisje. Het schijnt dat haar oom en tante haar uit België hebben ontvoerd uit een weeshuis toen haar moeder was overleden nadat haar vader was gesneuveld in Nieuwpoort aan het front...'

Jean keek opzij. De jongeman was veel beter op de hoogte dan Hanne had vermeld. Hoe had Huibrecht die geschiedenis ontdekt? Dat was een geheim dat angstvallig werd bewaard door de betrokkenen. Hier mocht hij absoluut niets van weten.

'Wat is uw relatie met dat meiske? Is zij uw lief?' vroeg de nonkel in een poging de vraag te ontwijken.

De vlammen sloegen Huib uit. Hij stotterde iets van, welnee, maar Jean glimlachte triest. 'Het is geen schande verliefd te zijn, jongeman. Dat mag u best meedelen.' Het was gelukt, het onderwerp was gewijzigd.

Huib zweeg bedremmeld. 'Dat meisje wordt zo afgeschermd dat ze niet eens weet dat er jongens en meisjes bestaan...' bromde hij bijna verlegen.

'Waarom schermt men haar zo af?' Het was vragen naar de bekende weg, dacht Jean. Hij wist het immers wel, maar hij wilde weten in hoeverre zijn neef op de hoogte was.

'Ze is illegaal in Nederland, dat heeft ze zelf verteld.'

Jean gaf verder geen antwoord en Huib zweeg hulpeloos. Daar zou de oom geen antwoord op weten, dacht hij. Hoe zou hij ook?

De oom keek naar buiten, waar de schemering snel naderbij kroop. Ze naderden de halte waar ze de bus moesten verlaten.

Vijf minuten later liepen ze naast elkaar, de handen diep in de zakken van de overjas, langs de straatweg naar de hoeve, die op korte afstand lag. Het was koud, er kon nog weleens nachtvorst optreden.

Jean keek even slinks opzij. Ja, jongen, pieker maar. Ik weet welk meiske u bedoelt. Maar ik zal het u niet vertellen, net zo min als uw moeder dat deed en die ene man, die Belg die nog in uw dorp woont. Het meiske is nu redelijk veilig en dat moet zo blijven. Maar ik besef dat u gecharmeerd bent van haar.

Deze ontwikkeling zal Hannelore niet aanstaan. Maar jongelui worden wel vaker verliefd en zijn het weer even snel vergeten. Het is goed dat het meiske wordt afgeschermd, dat zal die verliefde gevoelens snel doen bekoelen. Als er geen reactie volgt sterft verliefdheid een snelle dood, zo wil de natuur het nu eenmaal.

Zwijgend liepen ze het erf op.

Het werd tijd dat hij weer eens naar huis ging, zei hij een uur later tegen zijn familie. Hij was hier al een week en hij had de broers van zijn vader allemaal gezien en gesproken. In Nederland moest hij achter werk aan. Hij leefde hier op de kosten van zijn familie en zo breed hadden Jean en Anna het niet.

'Maar deze week nog niet,' zei Jean vastbesloten. 'Wij gaan nog naar Diksmuide met de trein...' Huib knikte. Ja, dat wilde hij ook voorstellen. Hij wilde de omgeving zien waar zijn vader was omgekomen.

Anna wuifde zijn bezwaren weg. Ze had hem nog graag een tijdlang te gast gehouden, zei ze. Hij was een flinke hulp voor Jean op de boerderij. Nu kon Jean in de avonduren nog eens ontspannen aan de tafel zitten in de wetenschap dat het werk gedaan was. Anders was hij tot laat in de avond bezig. Hij werd ouder en kreeg het werk niet meer zo snel uit handen, zoals een jonge vent als Huib. Hij had zelfs de tijd om een dag te vertrekken naar Diksmuide en Gent.

De oudere man knikte. 'Ik zou moeten betalen voor uw hulp,' beweerde hij.

'Dat is toch wel het minste, dat ik even help met het voederen van de beesten en het schoonmaken van de stallen,' bromde Huib.

'En de rest,' zei Anna kalmpjes. 'Het hooi is van de zolder

gehaald, de kippen hebben nieuwe legkasten gekregen. Jean was er al tijden mee bezig, u maakt dat in één dag. En gisteren maakte u mij een nieuwe tafel op de deel. Nou, daar ben ik content mee.'

'Ik ben nu eenmaal geen timmerman. Hij wel,' lachte Jean. Net als zijn vader, dacht hij toen. Hij is even handig…

Ze spraken af dat ze een dezer dagen naar Diksmuide zouden gaan. Huib nam zich voor de volgende dag met Nederland te telefoneren. Misschien kon hij weer naar Breda of Roosendaal reizen om zo de transporteur te treffen voor de reis naar huis. Dat scheelde een heleboel geld. De treinreis naar Diksmuide zou een flinke bres in zijn geld slaan.

Ja, hij wilde weer naar huis. Hij had nog een heleboel aan zijn moeder te vragen, maar hij wilde eigenlijk ook even nog blijven. Er moest toch iets meer over Anneke uit te vissen zijn? Maar waar moest hij in vredesnaam beginnen? Ze was geboren in Antwerpen, beweerden de zusjes, die hadden dat vernomen van een kletsgrage buurvrouw. Antwerpen was een grote stad. Hij kende haar echte naam niet, want ze heette officieel geen Verbaan. Zijn moeder zou dat misschien weten… Hij zou het haar moeten vragen. Nonkel Jean was een gewone Vlaamse boer, die zich niet bemoeide met zaken als verdwenen kinderen.

Hij zweeg en zijn gedachten keerden naar vandaag. Een dag vol emotie. Niet zo erg als eergisteren, toen Jean hem uit de doeken deed wat er precies gebeurd was met zijn vader. Hij was blij dat er krachten waren die zich inspanden voor eerherstel, al bleef hij woedend over de gebeurtenissen aan het front in 1915.

''n Franc voor uw overpeinzingen,' zei Jean ineens dwars door zijn gedachten heen.

Huib schrok op. 'Ach, mijn gedachten zijn bekend. Ik heb vandaag genoeg vernomen om dagenlang na te denken.'

De twee oudere mensen knikten. Er viel een lang zwijgen waarin ze met hun eigen gedachten bezig waren.

'Ik zou toch willen weten wie die moord op die kolonel

gepleegd heeft,' zei Huib ineens.

Jean haalde de schouders op. 'Dat is eigenlijk niet eens belangrijk, jongen.'

'Iedereen denkt nou wel dat het gaat om het oorlogsverleden van de man, maar is dat ook zo? Niemand is zo driest dat hij om een paar ontactische opmerkingen iemand omlegt,' zei Huib ineens dwars.

De oudere mensen keken hem verwonderd, zelfs afkeurend aan. 'Ze hebben nog geen centime meegenomen,' zei Anna nadrukkelijk.

'Ze kunnen in paniek zijn geraakt. De man overliep hen en ze schoten, wat niet hun bedoeling was. Misschien hebben ze wel gedacht dat hij niet eens thuis was. Het was oudejaarsavond, dat is een avond om bij familie op bezoek te gaan.'

Jean schudde beslist het hoofd. Ook Anna keek hem aan met een blik van: je weet wel beter.

Ja, hij wist ook wel beter, dacht hij toen. Sommige mensen waren zo snel aangebrand dat ze meteen door het lint gingen. Maar hij gaf zich nog niet gewonnen. 'Nu gaan er toch ook geruchten over de dood van de koning? Wie zegt dat het toch geen gewoon ongeluk is geweest? Bergbeklimmen is een gevaarlijke sport, zelfs voor ervaren beoefenaars.'

'Jongen, u bewijst dat u geen Belg bent, ook al bent u hier geboren. U kent de onderhuidse krachten en machten niet. Neemt u van mij aan dat de dood van Vanderheijden geen roofmoord is, al is het beter dat men het wel als zodanig betitelt,' zei Jean met nadruk.

Anna knikte. 'En wat de koning betreft. Er zijn vreemde hiaten in de verklaringen die afgelegd zijn door de autoriteiten. Het verhaal klopt eenvoudig niet. Hij was alleen, een bergbeklimmer gaat niet alleen klimmen en zeker de koning doet dat niet. Hij is de koning! Hij stuurde zijn bediende weg. De koning was sterk bijziend en zijn bril was onbeschadigd terwijl zijn schedel verbrijzeld was, door de val,

171

naar men zei. Er werd geen lijkschouwing uitgevoerd. Zo zijn er meer vreemde zaken aan te wijzen. En dan ontstaan de geruchten.'

Huib zweeg maar. Het was voor iemand die niet in dit land was opgegroeid heel moeilijk te begrijpen hoe de situaties in elkaar grepen, hoe de verstandhoudingen waren. Hij had te weinig verstand van omstandigheden die hij nooit had gekend.

De zaterdag daarop was het redelijk weer. Na de gedane arbeid op de boerderij togen Huib en zijn oom vroeg op pad, nagezien door Anna. Ze maakte zich zorgen. Het zou weer een emotionele dag worden voor de jongeman. Misschien was het verstandiger geweest hem deze reis te besparen. Hij vond geen graf, want dat was er niet. Hij zou alleen maar woede vinden.

Ze keek de twee zwijgend na en ging hoofdschuddend weer naar binnen. Huib en nonkel Jean gingen een lange reis maken en zouden pas laat in de avond terugkeren.

De treinreis naar Diksmuide zou ruim een uur duren. Vandaar zouden ze naar de IJzertoren gaan en naar de dodengang, zoals nonkel Jean het uitlegde. De dodengang was de loopgraaf waardoor de Belgische soldaten naar hun stellingen vertrokken op amper vijftig meter afstand van een zwaar bewapende bunker van de Duitsers. Ja, daar waren duizenden jongens gevallen of voorgoed verminkt.

Huib was gespannen, merkte hij.

Gedurende de reis vroeg hij ineens: 'Hoe vaak is het voorgekomen dat soldaten geëxecuteerd zijn door het eigen leger, zoals mijn vader is gebeurd?'

Jean keek hem zwijgend aan en knikte toen kort. 'Meer dan men officieel wenst toe te geven. Die gasaanvallen waarmee de Duitsers begonnen in Ieper, waren nieuw. Men wist niet wat die aanvallen deden met mensen, al waarschuwden de artsen weldra voor de gevolgen. Het duurde lang voor er naar hen geluisterd werd.'

Huib gaf geen antwoord. Hij had al wel begrepen dat er in deze streken een hele generatie jonge mannen was omgekomen, of het nou Belgen, Duitsers, Fransen of Engelsen waren. Hoeveel vaders en zonen waren achtergebleven op de velden van Vlaanderen?

Wat bezielde de mensheid? Wie kon daarop een antwoord geven?

Nonkel Jean had hem al verteld dat er hele dorpen en steden waren vernield, geen huis stond nog overeind. De stad Ieper was aan het herbouwen, er had niets meer gestaan dan ruines en afgebroken bomen. De bevolking was weggevlucht naar Frankrijk, zoals in zoveel dorpen in de Westhoek van België. Zware veldslagen hadden hier plaatsgevonden in die jaren.

Waarom was deze oorlog gevoerd? Om een kroonprins die met zijn vrouw doodgeschoten was ergens op de Balkan? Moesten daar zoveel miljoenen mensen voor de dood in gejaagd worden? Of was die gebeurtenis alleen maar een aanleiding? Wat een waanzin.

Hij haalde diep adem en dacht aan dat meisje, ver weg in Twente, wier vader hier ook was omgekomen. Hoe was de levensgeschiedenis van Anneke? Haar vader was gesneuveld, haar moeder had zelfmoord gepleegd, ze kon het niet aan, had het meisje verteld.

Annekes moeder was niet de enige geweest die dit moest ondergaan, er waren miljoenen vrouwen in dezelfde omstandigheden. Niet iedere vrouw of man kon hetzelfde verdragen. Vader Egbert was een rots in de branding voor zijn vrouw. Annekes moeder had misschien die hele schokkende gebeurtenis helemaal alleen moeten doorworstelen. Hij had toch gehoord hoe men hier jaren geleden over de zogenaamde deserteurs dacht?

Ze zwegen het grootste deel van de treinreis en zelfs toen ze al voor die hoge donkere toren van Diksmuide stonden, hadden Huib en zijn oom nog vrij weinig gezegd.

'Die is een paar jaar geleden officieel ingewijd geworden,'

zei Jean. Klonk er iets van emotie in zijn stem, dacht Huib. Hij keek naar de vijftig meter hoge toren in de vorm van een soort kruis.

Mooi was anders, vond hij. Nooit meer oorlog, las hij. Ja, alsjeblieft nooit meer oorlog, dacht hij. Waarom kan de mensheid niet zonder? Zijn we in wezen minder dan roofdieren? Die moorden alleen omdat ze voedsel nodig hebben.

De oom begon ineens geëmotioneerd te praten. 'Men wilde onze gesneuvelde soldaten een eigen grafsteen geven, een zerk met de Vlaamse symbolen erop. De zerken werden na de oorlog vernield; de overheid had het puin nodig voor het aanleggen van een weg, zei ze. In de oorlog waren onze jongens al zo vernederd door de legerleiding… Ja, het werd tijd voor een monument. Daar staat het.' Hij wees op de toren die trots de omgeving domineerde.

Huib knikte enkel.

'Hier liggen Vlaamse soldaten begraven die gevallen zijn in de oorlog,' zei Jean langzaam. 'In de crypte. Het is de bedoeling dat er nog meer worden begraven.'

Huib zweeg. Zijn vader had geen graf, dacht hij bitter. Hij was zomaar ergens in de grond gestopt als deserteur. Hij sloot even de ogen. Dat vergeef ik de schuldigen nooit… 'Laten we verdergaan,' zei hij ineens. 'Ik begrijp dat de Vlamingen hier veel waarde aan hechten.' Hij zweeg. Ik niet, zei zijn stilzwijgen. Ik ben hier voor mijn vader, al zal ik zijn graf niet vinden.

'Ja, we gaan verder. Naar de dodengang, daar heeft uw vader ook zijn voetstappen gezet.' Het was enkele kilometers lopen, gaf de nonkel aan. Ze wandelden in een rustig tempo langs de rivier de IJzer. Het weer was niet slecht, het was kil, maar droog. De omgeving was vlak en leeg, het was bouwland, zag Huib. Een enkele boerderij, soms nog niet eens hersteld van de oorlogsschade, soms ook gloednieuw. De oorlog had hier hard toegeslagen.

Ze praatten weinig. Er was ook niet veel te zeggen. Ook voor Jean was het geen gemakkelijke gang. Hij was hier slechts eenmaal geweest na de oorlog. In 1920, bij de eerste bedevaart, toen nog naar het graf van een Vlaamse soldaat.

De rivier kabbelde naast hen voort alsof hij hen begeleidde naar die ene plek. Niet eens zo heel erg ver van de toren vandaan stonden ze stil. Ze waren aangeland bij de dodengang. Het was er stil, er was bijna niemand.

De rivier maakte hier een scherpe bocht. Hier gingen de soldaten naar hun stellingen. Huib keek om zich heen. De smalle met zakken zand opgehoopte gangen, bijna anderhalve kilometer langs de rivier.

Wat was hier hard gewerkt in die oorlogsdagen. Een bunker van de Duitsers op enkele tientallen meters afstand beheerste de omgeving.

'Duizenden zijn hier gesneuveld,' zei nonkel Jean naast hem. 'En nog meer gewond geraakt.'

Huib gaf geen reactie. Hier had zijn vader gelopen, twintig jaar geleden, een man die zijn toekomst en zijn leven op moest geven voor een strijd die hem niets aanging. Een oorlog waar hij niets mee van doen had, net als al die andere soldaten die hier in de modder hun einde hadden gevonden. Waren ze zingend hun einde tegemoet gemarcheerd, dacht hij bitter. Zijn vader in elk geval niet, die hadden ze hier vermoord.

'Is het hier gebeurd in deze buurt?' vroeg hij ineens.

Jean gaf geen antwoord. Hij wist het niet.

Er trilde iets van een machteloze woede in Huib, hij zou willen schreeuwen, de boel kapotslaan, iemand naar het leven staan, een van die ploerten vermoorden, die...

Zijn ogen gleden over het wijde land en de traag voortglijdende rivier. Wat was er in zijn vader omgegaan in die laatste minuten van zijn leven, toen hij de geweren op zich zag gericht?

Had hij geschreeuwd, gehuild...

Huib kreeg de neiging hardop te vloeken, maar hij zweeg, zoals hij de hele dag al weinig had gezegd. Zijn vader was maar een paar jaar ouder dan hij nu. Met een ruk draaide hij zich om. 'We gaan,' zei hij kort en beende met grote stappen weg.

Jean knikte in zichzelf en volgde hem zwijgend. Ja, het was genoeg, op de een of andere manier had de zoon de vader gevonden in dit eenzame land van Vlaanderen.

Ze waren nog geen kwartier bij de dodengang geweest.

15

Het was laat toen ze weer thuiskwamen, bijna negen uur. Nonkel Jean had Huib meegenomen naar de IJzertoren, hem de graven getoond van een aantal jonge gesneuvelde Vlaamse militairen die in de crypte begraven lagen. Huib had het zwijgend ondergaan. Het was een beetje aan hem voorbijgegaan. Zijn gedachten waren bij een ander graf, dat nergens meer te vinden was.

De oom had het gemerkt en ook begrepen. Nee, dacht hij, voor de jongen is onze strijd om onder de voogdij van de Walen uit te komen een vreemde strijd. Die begrijpt hij niet. Hij is een Ollander geworden. Wie weet is dat ook beter.

Hannelore zal hem zoveel mogelijk buiten de Vlaamse kwestie hebben gehouden en daar had ze waarschijnlijk gelijk in.

Anna wachtte hen op, een beetje in spanning. Ze had koffie gezet en brood gesneden en zat al aan de tafel met gevouwen handen en in diepe stilte en spanning.

De twee oudere mensen zagen elkaar aan toen Huib naar de boterhammen tastte. Ja, de jongen had de plaats gezien waar zijn vader had gevochten. Jean had de woede gevoeld die opbruiste in hem zowel als in de jongen; ook de sinistere sfeer van de oorlog was weer volop aanwezig geweest, net als jaren geleden toen hij hier ook was, vlak na de oorlog.

Nee, de jongen had niet veel gevoel voor de Vlaamse zaak, dat was hem ook niet kwalijk te nemen in deze omstandigheden, meende hij. Later misschien, als de ergste emoties uitgewoed waren.

Ze moesten het hier maar bij laten.

De week daarop vertrok Huib naar huis. Enerzijds wilde hij graag terug naar zijn familie, anderzijds vond hij het ergens wel jammer. Hij voelde zich thuis bij de oom en tante. De sfeer was plezierig, plezant, zoals de nonkel meer dan eens zei, en ontspannen.

In Nederland was het altijd haasten om vooral niet te laat in de fabriek te komen, altijd drukte om iets gedaan te krijgen en 's avonds had hij nergens meer zin in na een lange dag.

Hij zou hier gemakkelijker een baan kunnen vinden dan in Nederland, zei nonkel Jean, hij zou eigen baas kunnen worden. Hij was handig en hij leverde goed werk. Hij zou orders genoeg krijgen, daar was Jean van overtuigd. Er was hier ruimte genoeg op het erf om zelf iets op te zetten.

Het was verleidelijk, besefte Huib, maar om hier helemaal te gaan wonen? Nee, besloot hij, dat wilde hij niet. Zijn gevoelens kwamen daar fel tegen in opstand. Hij had daarom toch maar getelefoneerd met de expediteur, die hem vertelde dat hij op woensdag naar Roosendaal kwam. Als Huib nou rond de middag voor het station zou kunnen staan... Hij moest wel rekenen op wat zware hand- en spandiensten. De terugkeer zou ook wat langer duren dan de heenreis.

Het zou laat in de avond worden voor ze terugwaren. Nee, Herder zou de ouwelui waarschuwen dat het wel tegen middernacht kon lopen. Dat was het leven van een expediteur. Huib moest ook niet vreemd opkijken dat hij een tijdlang moest wachten in Roosendaal voor Herder kwam. Dat was geen bezwaar, verzekerde Huib de man.

De oom en tante zagen hem met verdriet vertrekken. Ze hadden hem nog een paar weken te gast gehad, ze zouden hem zelfs voorgoed in huis willen nemen. Hun eigen kinderen waren al jaren geleden uitgevlogen. Het was net alsof het er op de boerderij wat beter uitzag, dacht Anna tevreden.

Huib had een heleboel elektriciteitsdraden, die los rondhingen aan het dak en aan de schuur, weggewerkt achter keurige planken en muren. Hij had op maandag nog een stuk afscheiding getimmerd voor een mestvaalt, hij had de hooiberg nagekeken en gerepareerd, zodat het mechanisme weer feilloos werkte. Hij had voor de tante nog een aantal zaakjes ingebouwd en omgebouwd, lampjes aangebracht, een wasketel gerepareerd, de radio op een gemakkelijker te bereiken plaats gezet en aangesloten.

Jean wilde hem nog wat geld toestoppen, maar Huib weigerde. Hij had de kost ook gekregen, en wat voor kost. Hij was zeker twee kilo aangekomen, de broek zat strakker dan voor zijn komst. Dat mocht ook wel, vond Anna, hij kon wel een paar kilo erbij gebruiken.

Jean bracht hem naar de trein in Gent, de tante had nog een tasje met voedsel meegegeven. Hij mocht eens trek krijgen onderweg. Ze zwaaide tot de bus de hoek om was.

Jean bracht hem naar de trein, die gereedstond op een van de perrons. 'Jongen, ik hoop dat wij elkaar snel weer terugzien… met uw moeder,' zei hij aangedaan toen Huib met zijn rieten koffertje de trein in stapte.

Huib knikte en zei in gedachten dat hij niet terugkwam, misschien over lange, lange jaren. Dat wist hij nu al. Hij zag liever dat de oom en tante naar Nederland kwamen.

Er moest veel verwerkt worden, maakte hij Jean duidelijk. Die knikte. Hij had het begrepen. Hij was een oudere man met levenservaring. Hij kon klappen gemakkelijker opvangen en verwerken dan Huib, die de laatste dagen soms het gevoel had dat hij stond te duizelen op de benen door alle onthullingen.

Huib zocht een plaats bij het raam en praatte nog even door het geopende raam met de oom, die op het perron wachtte tot de trein zou vertrekken. Een oudere man kwam tegenover hem zitten en knikte hem toe. Huib stak zijn hand nog eens op toen de trein het station uit stoomde.

Langzaam liet hij zich zakken en zuchtte. Het einde van een emotioneel familiebezoek, dacht hij en staarde naar het voorbijtrekkende landschap. Vlak en doods, zoals hij zich de laatste uren gevoeld had.

'Op familiebezoek geweest?' vroeg de man tegenover hem.

Huib knikte.

'U bent Belg?'

'Nee,' zei hij korter dan hij bedoelde.

De man knikte en verdiepte zich weer in zijn tijdschrift.

'Het spijt me, het was niet zo kort bedoeld,' zei Huib na een korte tijd.

'Het is goed,' zei de man enkel.

Ze zwegen tot ze in Antwerpen waren. Huib keek uit het raam naar het landschap, naar de lange rijen huizen in Antwerpen toen ze het station naderden. In zijn hoofd stormde het nog steeds. Zijn vader en die vreselijke dood, het bezoek aan Diksmuide, die grote toren in dat landschap even buiten de stad aan de rivier en aan Anneke…

Die vreemde vraag van de luitenant Lenaerts of er nog Belgen in zijn omgeving waren achtergebleven. Waarom interesseerde die man zich daarvoor? Was het niet begrijpelijk dat ze achterbleven? Wat hadden sommige Belgen te zoeken in hun vaderland als ze daar geen huis, geen familie, nog geen tafel of stoel meer bezaten? Zou je niet bang worden dat je weer zoiets kon overkomen?

Waarom vroeg hij zo expliciet naar die weeskinderen, die in Nederland waren gebleven? Was dat wel zo? Ja, Anneke was zo'n kind geweest, maar dat was een uitzondering. Zij had een Nederlandse moeder en familie in Nederland.

Was het meisje werkelijk niet veilig als ze met een paar dagen meerderjarig was geworden? Ze dacht zelf van wel. Hij wist nog niets van haar omstandigheden af nu hij terug reisde naar huis. Hoe zou ze hem straks te woord staan, hij met zijn vreemde aanzoek?

Als zij erin toestemde moest hij niet menen dat het uit liefde was, maar uit berekening. Kon hij zo'n huwelijk trekken in zijn eentje als de gevoelens alleen van zijn kant kwamen? Ondertussen zouden ze dat thuis ook weten. Nou, er zou een storm opgaan in de keuken.

Antwerpen waren ze al voorbij, zag hij. Wat had hij in deze stad over Anneke kunnen ontdekken? Hij had geen gegevens van haar.

De man vouwde zijn tijdschrift dicht toen de conducteur

langskwam en in zijn kielzog een commies van de grens, die de paspoorten controleerde. Ze waren bijna in Nederland. De commies bekeek hun paspoorten amper en liep door. Ze keken hem beide na, de jonge vent en de oudere man.

'De contacten tussen de Belgen en de Nederlanders zijn gelukkig een stuk beter dan een aantal jaren geleden,' merkte de man tegenover Huib op. 'Vlak na de oorlog was het zelfs vijandig tussen de regeringen van beide landen. Eisen over en weer, België eiste Zeeuws-Vlaanderen en Zuid-Limburg op vanwege oorlogsschade en Nederland stuurde een dikke rekening voor de opvang van al die vluchtelingen.'

Huib beaamde het, hij had er vaak en veel over horen vertellen. Hij herinnerde zich vaag de verontwaardiging van Egbert over die eis van de Belgen.

'Ik ben wel in België geboren,' zei hij ineens. Hij was een beetje verwonderd over zichzelf. Normaal was hij niet zo mededeelzaam.

'Ik ook,' zei de man ineens met een glimlach. 'Ik woon al jaren in Nederland, in Utrecht, al sinds 1914.'

Huib keek op. Sinds 1914? Ook een gedeserteerde Belg? Pas op, man, let op je woorden. Een gedeserteerde Belg die uit België terugkeert? Dat is opvallend. Hoe had hij het klaargespeeld? Was hij Nederlander geworden ondertussen?

'Ik woon ook al sinds 1914 in Nederland,' merkte hij op. 'Alleen niet in Utrecht.'

De man knikte vriendelijk. 'U bent inmiddels Nederlander geworden?' vroeg de man toen wat vrijmoediger.

Huib knikte. 'Mijn moeder hertrouwde met een Nederlander en toen zijn mijn papieren ook in orde gemaakt.'

'Hetzelfde geldt voor mij, ik trouwde ook met een Nederlandse vrouw, al duurde die nationalisatie vermoedelijk wel iets langer... Uw eigen vader is omgekomen in de oorlog?'

Er stak iets in Huib. 'Ja,' zei hij zacht. 'Gesneuveld in Diksmuide aan het front.' Hij zei het kortaf. Het was allemaal nog te rauw binnen in hem om daar met een wildvreemde over te kunnen praten.

'Tja, ik was ook in het leger, ik lag bij Antwerpen.' De man zuchtte. 'Ik had geluk, of wat daarvoor doorgaat. Ik ben in 1914 gevlucht naar Nederland en ik heb lang in een interneringskamp gezeten. Dat was geen beste tijd. Ik ben in uw land gebleven, ik kreeg kennis aan mijn vrouw. Ik kan nu sinds enkele jaren weer op bezoek gaan, dat kon voor die tijd niet. Niet vanwege de overheid, maar vanwege mijn familie. Ik was een lafaard in hun ogen, iemand die de boel had laten barsten door te vluchten. Sommige familieleden willen mij tot op de dag van vandaag niet ontmoeten.' Hij keek naar buiten. 'We zijn weer in Nederland. Het gekke is dat ik mij dan weer wat meer op mijn gemak voel.'

Hij was geen deserteur, dacht Huib. Er zijn veel Belgische militairen naar Nederland gevlucht in die eerste oorlogsmaanden. Ze hadden de keuze tussen vluchten of krijgsgevangen worden. Nederland was immers neutraal en de oorlog was niet te winnen voor de Belgen.

Pieter Nijs was wel gedeserteerd, dacht Huib. Hij zal ook niet de enige zijn geweest die is gaan drossen. Huib knikte voor zich heen en staarde het raam uit. Vertel niet te veel, man, dacht hij. Die vent is mij te mededeelzaam.

'U bent bij uw vaders graf geweest?' kwam het.

Huib keek de man aan. 'Nee, het graf van mijn vader bestaat niet. Hij eh… is officieel vermist.' Hij zweeg verder.

De man boog zich voorover. 'Ik heb veel interesse in die oorlog, dat is ook wel verklaarbaar, lijkt me.'

Ja, dat leek Huib ook wel. Maar toch, laat het achterste van je tong niet zien…

'Er zijn heel veel soldaten vermist. Ik hoorde dat er in de stad Ieper, waar de Britten lagen, meer dan honderdduizend zijn omgekomen en vermist,' zei hij voorzichtig.

Hij voelde de woede weer opstijgen als hij dacht aan zijn vader. Vermist ja, ze hadden het fatsoen nog niet gehad hem netjes te begraven. Ergens in de grond gestopt en toen een voltreffer van de Duitsers eroverheen…

De man staarde hem zwijgend aan en knikte langzaam. Hij snapt het, dacht Huib. Hij voelde iets van nieuwsgierigheid en tevens argwaan. De man had door hoe het met zijn vader was afgelopen of hij wist het gewoon. Hij vertelde dat hij erg veel interesse had in die oorlog, maar dat hield niet in dat hij besefte wat er met Huibs vader was gebeurd. Als hij dat wist, hadden ze het hem verteld... De argwaan groeide.

Station Roosendaal, dacht hij, we zijn er weldra. Hou je kaken op elkaar, Huibrecht, en vertel niet meer dan je kwijt wilt. Hij wilde weg van die man.

'Uw vader werd geëxecuteerd door de eigen legerleiding, nietwaar?' vroeg de man ineens.

Huib keek verwilderd op. Hij had geen woord in die richting gezegd. Het wantrouwen sloeg door hem heen. De vent was op de hoogte. Was het toeval dat hij net tegenover hem in de trein moest zitten? Nee, het was geen toeval. De man had hem opgewacht. Waarom? Hij dacht aan de woorden van nonkel Jean: let op je woorden. Zat die luitenant Lenaerts er achter? Waarom dan? Wat zou die man van hem willen?

De man glimlachte bijna triest. 'Ja, hij was de enige niet, jongeman. We zullen waarschijnlijk nooit weten hoeveel er standrechterlijk zijn vermoord, maar het zijn er meer dan iemand denkt. U bent op de hoogte van die moordzaak begin dit jaar op een kolonel buiten dienst?' zei hij langzaam en zweeg.

'Wat is daarmee? Hoe komt u daar ineens bij?' vroeg hij dringend.

De man trok de schouders licht op. 'De moord op de kolonel trok evenveel aandacht als de dood van de koning. Evenveel geruchten, evenveel vragen.' De man staarde Huib aan. 'Ik geloof dat het zijn vijanden eindelijk is gelukt hem te pakken te krijgen. Ze loerden al jaren op hem, hij is zeker al drie keer onder vuur genomen, maar wist telkens de dans te ontspringen. Hij leerde er helaas niets van, gezien zijn uitspraken enkele weken voor zijn dood.'

Huib zweeg ineens. Wie zijn die 'ze', zou hij willen vragen. Hoezo, ze loeren al jaren op hem? Maar hij keek het raam uit alsof het hem allemaal niets zei.

De man haalde de schouders op. De jonge kerel was niet mededeelzaam. Had hij geen interesse in de man, die zijn vader tegen de muur zette?

De trein stoomde het station van Roosendaal binnen. Huib stond op en nam zijn koffertje uit het rek. De man stond ook op en nam een tas in de hand. Ook dat nog, dacht Huib. Hij gaat er ook uit.

Ze schuifelden achter elkaar de trein uit naar het perron. Huib wilde meteen naar de uitgang maar de man hield hen tegen. 'Staat u mij toe u een kop koffie aan te bieden...'

Huib keek op zijn vestzakhorloge. Hij had zeeën van tijd. Herder was er nog lang niet, dat duurde nog minstens een uur. Het weer lonkte niet tot wachten in de buitenlucht.

Ineens knikte hij kortaf. De argwaan bleef gloeien, maar de nieuwsgierigheid won het. Probeer uit te vissen wat de vent van je wil, dacht hij. Ik weet niet hoe en wat, maar pas op.

Ze liepen achter elkaar naar de stationsrestauratie. De vreemdeling bestelde twee kopjes koffie en ze zochten een plaats bij het raam. Van daaruit kon Huib zien dat Herder arriveerde met zijn vrachtwagen. Hij hoopte dat het niet lang zou duren.

Hij roerde omslachtig in zijn koffie en ineens opende hij zelf de aanval. 'Legt u mij eens uit hoe het zit met die moordzaak?'

De man tegenover hem knikte. 'Het is een Belgische aangelegenheid en voor een niet-Belg – en dat bent u toch – is het vaak niet goed te volgen. Kolonel Vanderheijden, ondanks zijn Nederlands klinkende naam, is altijd fel anti-Vlaams geweest, al ver voor de oorlog was hij daar om bekend. Hij stamde van een half adellijk Waals geslacht, via zijn moeder, een Waalse barones. Hij benadeelde de Vlaamse soldaten en het toppunt was dat hij vier Vlaamse militairen wilde laten executeren om een voorbeeld te stellen, zoals hij dat noemde. Twee liet hij executeren zonder een officieel bekrachtigd vonnis.' De man glimlachte licht. 'Het werd ook min of meer het eindpunt van zijn carrière. Daar konden zelfs zijn vriendjes op hoge plaatsen niet omheen.' Hij boog zich voorover. 'Er werden soldaten aangewezen, die het vuurpeloton moesten vormen, maar het hele bataljon, vele honderden soldaten, moest toezien bij de executie en langs de lichamen marcheren na afloop. Het gebeurde in Diksmuide aan het front.'

Huib verbleekte. Waarom vertelde de vent dat? Om hem uit zijn tent te lokken? Dan zou hem dan goed lukken. 'Al die honderden soldaten lieten dat allemaal toe?' vroeg hij toch ondanks alles. 'Ze wisten toch beter?'

Hij verwachtte iets van: ze konden niet anders. Ze moesten wel... Maar het bleef stil. De man keek langzaam op. 'Ja, ze wisten wel beter, maar ze wisten nog iets. Voor hetzelfde geld hadden zij daar immers gestaan, vastgebonden aan een paal met een zwarte doek over het hoofd.' Hij knikte nadrukkelijk. 'In oorlogstijd leef je met andere normen en andere overwegingen. Dan is het eerst ik en dan pas de anderen. Het gaat dan om puur lijfsbehoud.'

De nog steeds onbekende man dronk zijn koffie op en leunde achterover. 'Het is niet algemeen bekend, maar de kolonel is door zijn eigen mensen in de rug geschoten toen hij zich kort na die executie aan het front waagde. Er werd bekend gemaakt dat hij door vijandelijk vuur was geraakt en hij kreeg een hoge onderscheiding, maar iedereen wist wel beter. Kort daarna verdween hij uit de generale staf en kreeg een kantoorbaantje waar hij geen kwaad kon, de opdracht kwam waarschijnlijk van de koning zelf. Er is nooit een grondig onderzoek ingesteld naar dat schietincident. Dat had ook geen zin. Men stuitte op een muur van stilzwijgen.'

'De koning was anders wel op zijn begrafenis.'

'Hij kon weinig anders,' kwam het kort. 'Het ging om een moord.'

'Heeft een koning niet genoeg macht om de moord in de doofpot te stoppen? Dat is toch voor iedereen in dit land het beste?'

'Nee, de Walen zitten er ook bovenop, vandaar. Die begrijpen ook heel goed dat het niet om een simpele roofmoord gaat.'

'U weet veel van die geschiedenis, meer dan mijn familie me heeft verteld,' zei Huib stuurs.

De man keek even voor zich. 'Ik ken mannen die bij die executie zijn geweest en ze hebben er flink last aan overgehouden door de jaren heen. Sommigen hebben gezworen wraak te nemen. Die hadden geen vertrouwen in het Belgische gerecht en dat was niet helemaal ten onrechte.'

'U kent de daders van die aanslag?' vroeg hij ronduit.

'Nee, ik wil ze ook niet kennen. Maar het was voor iedereen beter geweest om in 1918 deze intrieste zaak uit 1915 voor een militaire rechtbank te brengen, ondanks de tegenstand van de Waalse kant.'

Dat was ook veel beter geweest, dacht Huib en staarde uit het raam. Het bleef een tijdlang stil.

'Er zijn ook veel slachtoffers onder de burgers gevallen, vooral in de Westhoek van Vlaanderen,' hoorde hij de man toen zeggen. Hij wachtte af. Waarom begon die man over burgerslachtoffers? Er kwam ongetwijfeld meer. 'U woont in Nederland, zei u, al sinds 1914. Kent u andere Belgen, die ook gevlucht zijn?'

Dezelfde vraag die de luitenant stelde, schoot het door Huib heen. Nee, vriend, ik heb je wel door. Je probeert me iets te ontfutselen… Toevallige ontmoeting in de trein, dat geloof je zelf ook niet.

'Nee, ik ken geen andere Belgen. Mijn moeder vluchtte met mij in de begindagen van de oorlog weg. Ons huis en onze stad werden platgegooid. Mijn vader lag aan het front,' zei hij kort. Het was nog waar ook, dacht hij.

'Uw moeder bleef in Nederland?'

Huib knikte kort.

Herder kon zo langzamerhand komen, dacht hij. Hij zweeg, hij wilde geen vragen meer stellen aan de man, hij voelde het wantrouwen in zich groeien en het deed pijn, dacht hij. Toch zou hij willen weten waarom die man hem nou eigenlijk aangeklampt had.

De man keek op zijn horloge. 'Ik moet een volgende trein halen,' zei hij langzaam. Huib knikte. Ja, ga maar snel, hoe eerder hoe liever, ik vertrouw je voor geen cent.

'U kent dus geen andere Belgen?'

Huib hief met een ruk het hoofd op. Hij keek bijna boos. 'Waarom wilt u dat weten?' vroeg hij korzelig. 'Bent u op zoek naar hen? Waarom stelt u die vraag niet gewoon aan de Nederlandse overheid, die weet dat. Ik kan u daar geen antwoord op geven.'

De man knikte wat schielijk. Hij stond haastig op en nam zijn kleine aktetas. Huib keek hem fronsend aan. Wat zeurde die man over die Belgen? Ging het om Pieter Nijs? Die konden ze niks maken, die was stateloos. Waren ze Anneke op het spoor? Hij voelde de schrik door zich heen slaan. Zouden ze haar via hem ontdekken? Dat nooit.

De man trok aan zijn overjas en zette zijn hoed op. 'U kent niet toevallig de naam Antoinette Janssen?'

'Nee,' schudde hij. Die naam kende hij ook niet. Het zei hem helemaal niets. De man nam zijn koffer en nam afscheid met een vriendelijk gezicht. Wie weet tot ziens, zei hij nog. Ik denk het niet, dacht Huib en staarde hem na. Je hebt me geprobeerd uit te horen, vriend, en bepaald niet omzichtig. Ik wil zelfs je naam niet eens weten. Je bent van mij niet veel wijzer geworden. Wat is jouw belang bij die in Nederland wonende Belgen? We zijn vijftien jaar na de oorlog. Wordt het niet eens tijd om de blikken op de toekomst te richten?

Hij slikte ineens. Was dat de echte naam van Anneke Verbaan? Hij schrok van zijn eigen gedachten. Anneke had in ieder geval een andere achternaam dan haar oom. Haar moeder en vrouw Verbaan waren zusters. Waarom kwam die vraag zo openlijk? Ging het werkelijk om Anneke? Dan was er veel meer aan de hand dan een illegaal in Nederland verblijvend meisje dat woonde bij haar oom en tante. Ach welnee, Anneke was helemaal niet belangrijk. Ze was alleen maar illegaal in Nederland.

Antoinette Janssen? Een volslagen onbekende naam. Of toch niet? Hoe luidde de naam van de man, die tegelijk met zijn vader was doodgeschoten? Camiel Janssen. Maar die had geen kinderen en zijn vrouw was al eerder overleden dan hij, beweerde de luitenant.

Ging het misschien om een zuster van die Camiel? Of om zijn moeder, als die tenminste nog leefde? Nou, dat was dan inmiddels een hoogbejaarde vrouw. Zou er iets met die vrouw aan de hand zijn omdat 'men' zo'n belangstelling aan de dag legde? Langzaam stond hij op en keek naar buiten. Nee, Herder was nog steeds niet te zien.

Hij ging naar huis en dat was op dit moment het belangrijkste. Hij wilde zijn familie terugzien, de meiden, zijn moeder en zijn stiefvader. Moeder had nog wat toe te lichten, trouwens hij zelf ook. Moeder was ondertussen wel op de hoogte van zijn merkwaardige zijsprong. Ze zou hem bij de deur opwachten en hem vragen of hij wel goed bij zinnen was om een vrouw ten huwelijk te vragen die hij niet eens kende…

De vreemdeling liep zonder haast naar het perron terug. In een donkere hoek hingen de telefoons. Een was zelfs geschikt voor internationaal gebruik.

Hij vroeg een nummer aan in Gent, België, en wachtte rustig tot de verbinding tot stand was gebracht. Hij meldde dat hij de jongeman had aangeschoten zoals de bedoeling was. Nee, niemand hoefde te beweren dat die knaap iets bijzonders zou weten. Hij was geschokt door de dood van zijn vader, hij had het nooit geweten, dat klopte.

Hij had nog even belangstelling getoond voor de moord op

de kolonel. Tenslotte was zijn vader door die man omgekomen.

Maar verder wist hij niets. Hij had ook geen belangstelling voor andere zaken, niet voor de taalstrijd, niet voor de politieke oorzaken. Hij zou naar huis gaan en daar de geschiedenis verwerken, meer niet. De jonge kerel had hem meer uitgehoord dan andersom, dat bewees al genoeg.

De man had zelfs openlijk gevraagd naar Antoinette Janssen. Hij had ervaring genoeg in het ondervragen van mensen om te weten wanneer ze logen of niet, maar die jonge vent kende die naam niet. Hij was werkelijk verbaasd geweest. Nee, daar vergiste hij zich niet in. Nogmaals, hij had als oud-politieman tientallen mensen moeten verhoren over allerhande zaken en hij voelde aan of ze iets wisten of niet. Deze man wist niets van een zekere Antoinette Janssen.

Jammer dat het spoor doodliep. Het was een mogelijkheid geweest. Deze man konden ze van het lijstje schrappen. Die bracht hen niet verder. Niet dat hij daar ooit rekening mee had gehouden, zijn Belgische familie was maar een simpele boerenfamilie, hoe zouden die bij bepaalde zaken betrokken kunnen raken?

Toch niet helemaal tevreden hing hij de telefoon op de haak en nam de trein naar huis, naar Antwerpen.

16

Huib moest nog een klein halfuur wachten voor het station voor Herder met zijn vrachtwagen aan kwam rijden. Hij stond wat beschut vanwege de kille wind en keek naar de mensen, die haastig langs hem heen liepen, sommigen met boodschappentassen, anderen met aktetassen of kleine koffers.

Het rieten koffertje stond voor zijn voeten en hij tuurde eens op zijn horloge. Hij kreeg het koud in zijn winterjas. Herder was laat, dacht hij. Je kon natuurlijk ook niet precies op de minuut af zeggen wanneer je er zou zijn als je een expediteur was. Er kon van alles tussen komen dat zorgde voor oponthoud.

Maar eindelijk kwam hij dan toch de straat in rijden. 'Tegenslag,' zei de expediteur met een glimlach. 'In ons vak moet je niet iemand op tijd vastzetten, dat lukt niet.'

Huib maakte een afwerend gebaar. Dat gaf niets, hij wist het immers. Hij had genoeg tijd gehad om rond te kijken en vooral om te prakkizeren over die vreemde vent in de trein, voegde hij er in gedachten aan toe.

'Goeie tijd gehad bij de familie in België?' vroeg Herder toen hij wegtrok van het station.

Huib knikte kort. 'Ja, gezien de omstandigheden…'

Herder knikte en vroeg niet verder. De jonge kerel zou het nodige hebben aangehoord over de oorlog en het graf van zijn vader hebben bezocht. Dat waren niet de leukste uitstapjes.

'Nog wat gebeurd terwijl ik weg was?' vroeg Huib nonchalant. Er zou weinig gebeurd zijn, dacht hij. Misschien iemand overleden, verder niet. Of was er weer sprake van ontslagen in de fabriek?

'Nee, niets bijzonders. Die dochter van Verbaan, je kent haar wel, schijnt weer bij Jans Meijer, de bakker, in de winkel te staan. Ja, hij heeft haar weer opgehaald.'

Huib knikte instemmend. Ja, dat was een goed bericht,

dacht hij. Niet alleen voor hem, maar ook voor de familie Verbaan. Zo breed had die het niet.

Herder keek grinnikend opzij. 'Je vader heeft het aan de stok met de dominee.'

'Vast en zeker om mijn zuster,' zei Huib meteen.

Herder grinnikte. 'Ja, hij heeft afgelopen maandag zijn dochter persoonlijk opgehaald bij de dominee en meteen verteld dat ze niet weer terugkwam. Dat zou ook tijd worden.'

Huib keek opzij. Herder knikte hem toe en stuurde de vrachtwagen behendig over de straatweg. Hij vond het prettig om te praten, anders was het vaak urenlang doodstil in de cabine. Nu vloog de tijd om.

'Wij wonen tegenover de pastorie, al zijn we niet van jullie kerk, maar we zagen het meisje zwoegen, dag in, dag uit. Het is nog weinig meer dan een kind en ze kon niets goed doen bij dat mens. Mijn vrouw had medelijden met haar. Vorige week heeft ze je moeder aangehouden en haar verteld hoe het eraan toe ging.'

'Je moet toch wel zuinig zijn op je werk...' zei Huib langzaam. 'Je hebt zo nog geen baan weer.'

'Nou, dat was geen werken, dat was sloven. Je verwacht van zo iemand toch iets anders.'

Huib verzonk in gedachten. Eindelijk, maar toch, dacht hij. Het had nog lang geduurd voor vader Egbert die gang had gemaakt, maar zelfs bij hem was er een keer een grens. Was het weinige loon nog verder naar beneden bijgesteld en moest er nog langer gewerkt worden? Het zou Huib niet verbazen. Enfin, er zouden genoeg anderen klaarstaan om dat baantje over te nemen.

Ze reden verder, pratend over allerlei zaken en nergens over. Via Utrecht ging het op Twente aan. Halfweg de middag reden ze de Domstad binnen. Herder moest een paar pakjes afleveren en weer een paar andere inladen. Huib bleef in de auto zitten. Hier woonde die vreemde snuiter die hem vanmorgen aansprak. Hij kwam uit Utrecht, had hij gezegd. Was dat allemaal wel waar?

Nou ja, vooruit, hij was niet veel wijzer geworden van Huib. Trouwens, waarom had hij hem aangeklampt? Niemand hoefde bang voor hem te zijn. Die Belgische toestanden waren de zijne niet. Daar moesten die Belgen zelf maar zien uit te komen. Hij glimlachte. Jongen, je bent een Belg van geboorte, je hoort niet zo te denken.

Herder kwam alweer teruglopen, huiverend in zijn jasschort, dat hij in de auto droeg. 'Smerige koude wind,' zei hij en hij startte de vrachtwagen. 'Het zal nog wel even duren voor we de stad uit zijn. Ik moet nog even in Soest iets bezorgen en dan gaan we in een rit door naar Twenteland.'

Huib knikte en keek op de toren van de kerk, die ze passeerden. Bijna halfzeven, het werd een latertje voor hij thuis was. Maar dat wisten zijn ouders.

In Soest was het heel snel klaar, zag Huib en hij was blij dat ze verder gingen. Hij wilde nu graag naar huis, vooral nu hij het bericht over zijn zusje had vernomen. Hij was een beetje benieuwd wat vader Egbert allemaal had gezegd. Als die echt begon uit te varen, kon je je maar beter op veilige afstand houden.

De tijd viel hem niet eens tegen toen ze het dorp binnenreden. Ruim tien uur, zag hij op zijn horloge in het licht van de lantaarnpaal. Het dorp was in diepe rust, merkte hij. Morgen was het weer bijtijds aantreden. Huib was opgelucht toen hij langs de kerk reed, de lange rij huizen en de school.

De luiken van zijn ouderlijk huis waren gesloten, maar er glinsterde licht door de kleine, hartvormige openingen boven in de luiken. Herder boog zich uit het raam van de wagen. 'Als jij nog eens mee wilt, ook zonder dat je naar België gaat, laat het maar weten.'

Huib knikte lachend. Nee, van dat aanbod zou hij niet gauw gebruik maken. Reizen was aan hem niet besteed. Hij had de reis naar zijn geboorteland ondernomen en dat was genoeg voor een lange tijd, vond hij. Vanaf morgen zat hij weer in zijn schuurtje. Hij had de laatste dagen eens flink nagedacht toen hij werkte op de boerderij van zijn oom. Eigen baas, dat lag hem beter, meende hij. Moeder zou er niet blij mee zijn, vader Egbert zou hem steunen. En dan ging moeder ermee akkoord, daar was hij van overtuigd.

Hij liep langs het tuinpad naar de deur en zag dat die al geopend werd. Vader Egbert stond in de opening, zwijgend en bedaard. 'Zo, jongen, ben je terug?' vroeg hij langzaam terwijl zijn ogen vragend en waakzaam over het gezicht van Huib gleden.

Hij knikte. Hij begreep het.

'Kom binnen, jongen, je moeder wacht met smart op je.'

De deur werd gesloten en ging op het nachtslot, de balk werd ervoor geschoven. Huib stond er glimlachend naar te kijken. Ja, hij was weer thuis, besefte hij. Gelukkig maar. Egbert knikte hem nog eens toe.

De deur naar de woonkeuken werd geopend en Hanne kwam de gang in. 'Huib…' zei ze enkel. Ze zag het meteen, hij was op de hoogte. Hij kende het verhaal van een smerige oorlog, die erg dichtbij gekomen was.

Ineens sloeg hij zijn armen om haar heen. 'Moeder toch, dacht je werkelijk dat ik niet zou begrijpen waar jij doorheen moest in die jaren van de oorlog en daarna?'

'Ja, Huib, dat was niet eenvoudig voor je moeder en ook niet voor een jongen van amper tien jaar oud,' zei Egbert achter hem.

'Het was een groot geluk dat jij er was, vader,' zei hij enkel.

Hanne knikte met tranen in de ogen. 'Ja, jongen, zonder je vader had ik het niet gered…'

Net zo min als Annekes moeder? zou hij willen opmerken, maar hij zweeg. Daarvoor was het nu nog te vroeg.

Egbert dreef hen de keuken in, de beide meisjes zaten aan de tafel en begroetten hun oudere broer met enthousiasme.

'Zijn jullie nog niet naar bed?' plaagde hij meteen.

Ze grinnikten en zwegen. Jammer, dacht hij, anders willen ze nog weleens boven op de kast vliegen.

'Hoe was het bij Jean en Anna?' kwam meteen de vraag. Het klonk zelfs een beetje gespannen, vond hij.

'Goed, meer dan goed,' zei hij eenvoudig.

Hanne knikte, daar was ze niet verbaasd over. Ze kende haar zwager en schoonzuster. Die zouden het haar zoon aan niets laten ontbreken.

Huib vertelde onder het genot van een kop soep, speciaal voor hem door Hanne midden in de week bereid, dat hij nog een beetje werk had opgeknapt bij de boerderij van Jean. Hij had ook nog een paar repen echte Belgische chocolade mee-gebracht voor de zusters en voor zijn moeder. Voor Egbert een flesje Belgische kruidenlikeur. Tenslotte ging hij niet elke week naar het buitenland.

Egbert glimlachte achter zijn pijp. Natuurlijk had hij bij Jean aangepakt, Huib kon niet stilzitten, ook niet in België. Die had vast en zeker aansluitingen gemaakt voor de elek-triciteit en een heleboel draden keurig weggewerkt. Huib hield niet van slordig loshangende draden. Veel te gevaar-lijk, vond hij.

Hanne was een stuk rustiger en een last was van haar schouders gevallen. Haar jongen had het hele verhaal moe-ten aanhoren, hij had het nog lang niet verwerkt, maar het had hem veranderd, dacht ze. Hij zou geschokt zijn geweest, woedend waarschijnlijk, maar hij was niet de vuurspuwen-de berg geworden waar ze voor gevreesd had.

Er zouden nog vragen genoeg komen, dat besefte Hanne ook wel. Ze moest morgen maar eens rustig met hem praten als de beide meisjes er niet bij waren.

'Ik hoorde dat je weg bent bij de dominee, Celestine?' vroeg hij ineens.

Het meisje knikte opgelucht. 'Va heeft eens met de domi-nee gepraat.'

'Het ging te gek,' zei Egbert kalm. 'Werken is goed, dat moeten we allemaal, maar dat was niet meer normaal. Het loon moest naar beneden, de uren moesten meer worden en dan moest ze nog dankbaar wezen ook dat ze werk had.

Toen heb ik gezegd: je ziet maar dat je een andere dienstmeid krijgt, dominee, maar daar stel ik mijn dochter niet voor beschikbaar.'

'Die heeft hij zeker al?' vroeg Huib ironisch. Hij verwachtte niet anders.

'Nee, dat is het wonderlijke. Ik had verwacht dat de meisjes in rijen van drie op de stoep zouden staan. Maar blijkbaar is er weinig animo of weinig werkloosheid, dat kan ook,' grinnikte Egbert. 'Celestine heeft alweer ander werk.'

Huib keek verrast op. Dat kon dus ook nog in deze tijd. Wedden dat moeder kwam met de mededeling: en nou jij ook als de wiedeweerga achter werk aan.

'Ze gaat naar het confectieatelier van Berkel, sinds gisteren. Voorlopig nog even in opleiding, maar dat komt wel goed.'

'Hoe dat zo?'

'Gerdien Berkel kwam zeggen dat Celestine eens moest komen praten en dat heeft ze meteen gedaan. De eerste maand verdient ze niks, maar ze moet het vak ook nog leren,' vertelde Hanne.

'Dan krijg ik meer dan bij de dominee,' zei Celestine trots. 'En ik werk veel minder uren.'

'Dominee is hier al geweest, afgelopen vrijdagavond. Hij vond dat va brutaal was en zijn plaats niet kende omdat hij het werk van zijn dochter had opgezegd,' gniffelde Liselotte.

'Va heeft dominee de deur gewezen,' meldde Celestine.

'Zo, zo, en nu mag je zeker niet meer in de kerk komen?' vroeg Huib grijnzend.

'Lubbert Warmink heeft al gezegd dat hij met de dominee van gedachten wil wisselen in de kerkenraad. Er moet eens paal en perk gesteld worden aan dat gedrag, zei hij. Dominee was al eerder gewaarschuwd, maar het had niet veel geholpen. Er schijnen ook andere klachten te zijn, over wanbetalingen en schulden. De bakker en de melkboer zijn ook niet tevreden. Het is te hopen dat hij snel toehoorders

195

krijgt en dan vertrekt,' zei Egbert rustig en klopte zijn pijp uit. 'Zo, dames, naar bed, het is morgen weer vroeg dag. En voor ons geldt hetzelfde.'

Een kwartier later was alles donker in de woning van Egbert Maatman en zijn gezin.

De volgende morgen, toen Egbert en de meisjes waren verdwenen naar hun werk, zat Huib zwijgend tegenover zijn moeder aan de tafel. Hanne wilde meteen opstaan en gaan rommelen, maar Huib keek haar strak aan. 'Blijf maar eens zitten, moeder. Er zijn nog een heleboel vragen gebleven. Je begrijpt dat ik het nodige heb gehoord in België…'

Ze knikte stom en sloot de ogen alsof ze de dagen weer doorleefde toen dat vreselijke bericht kwam. Haar man gesneuveld aan het front, terwijl zij ver van huis en haard in den vreemde tobde met haar grote verdriet over de dood van Celestientje en ziek was van heimwee.

En jaren later, ze begon enigszins te wennen aan dat onbekende land, kwam dat andere bericht: Corneel geëxecuteerd als deserteur. Ze had werkelijk gedacht dat ze het niet zou overleven. Haar Corneel…

'Die berichten moeten verschrikkelijk zijn geweest. En dan bovenop alles komt ook nog dat er niet eens een graf is…' begon Huib en voelde de woede opnieuw opstijgen. Onwillekeurig balden zich zijn vuisten.

Hanne zag het. Nee, de woede laaide nog steeds…

'Ja,' zei ze zacht. 'Dat doet zo'n pijn omdat ik weet dat je vader geen lafaard was. Ik besefte meteen dat er vieze spelletjes gespeeld waren, dat was ook algemeen bekend. De Vlamingen moesten altijd het onderspit delven tegenover de Walen. De Frontbeweging heeft in 1917 zelfs een open brief aan de koning geschreven om hem te herinneren aan zijn belofte dat er geen achteruitstelling zou plaatsvinden voor de Vlamingen. Het hielp niets.' Ze zuchtte. 'Ik geef toe dat er Vlamingen waren die in de oorlog de kant van de bezetter kozen, ze hoopten zo op een zelfstandig Vlaanderen.

196

Nou, na de oorlog waren alle Vlamingen landverraders, volgens de Walen. Maar je familie in België wilde niets van die zogenaamde activisten, die Duitsgezinden, weten.'

Huib staarde zijn moeder aan. 'Heb je ooit gehoord van een zekere luitenant Lenaerts?'

Ze keek fel op. 'Ja, dat is een gevaarlijk manneke. Heb jij die man ontmoet?'

Het klonk ongerust, dacht hij. 'Nonkel Jean nam me mee naar hem toe.'

Ze werd bleek. 'Dat had hij niet mogen doen. De man is na de oorlog ternauwernood aan de kogel ontsnapt.'

Huib zweeg. Zijn wenkbrauwen trokken op. Hij hoefde niet eens te vragen naar het waarom. De man werd aangewreven dat hij Duitsgezind was geweest. Had hij gegokt op de medewerking van de Duitsers bij een ideaal van een onafhankelijk Vlaanderen? Dat hadden de Duitsers handig uitgebuit. Nonkel Jean had het allemaal uit de doeken gedaan.

Hanne stond op en greep de koffiekan van het fornuis. 'Die man was een goede soldaat, hij was goed voor zijn mensen in de oorlog, hij was een van de weinige Vlaamse officieren aan het front. Maar hij heeft veel van zijn aanzien verloren door zijn felheid. Hij was een van de voormannen van de Frontbeweging.'

Ze schonk koffie in, vertelde hoe ze had gehoord over de dood van haar man, over de executie. Ze kreeg het te kwaad, zag hij. Het kostte haar moeite verder te praten.

Huib luisterde zwijgend. Hij begreep haar woede, haar pijn toen ze moest lezen in de krant dat die deserteurs de kogel volledig verdienden. Over die kolonel Vanderheijden werd niet gesproken, dat was een oorlogsheld...

Ze zweeg pas na een kwartier en leunde moe op haar ellebogen, het gezicht in haar handen. Ze staarde haar zoon aan. 'Neem je het me kwalijk dat ik het verzwegen heb voor je? Eerst vond ik jou te jong, later werd het steeds moeilijker om het te vertellen. Ik wilde ook niet dat het hier in dit dorp bekend zou worden. Een kind flapt er zo gauw wat uit. En het leek alsof België jou niet deerde...'

'Nee, moeder, ik neem het je niet kwalijk, maar het was wel een harde tik die ik de afgelopen weken kreeg. Ik was naar België gegaan om het graf van mijn vader en ik vond het niet, letterlijk en figuurlijk niet.'

Ze knikte. 'Hij was niet de enige, hij was niet de enige. Van hem is het bekend, maar er zijn er meer standrechterlijk tegen de muur gezet, veel meer dan men officieel wenst toe te geven.'

'Dat zeggen anderen ook.'

Het bleef stil. Erg stil, vond Huib.

'We zullen het er nog weleens over hebben, maar ik heb liever niet dat de meisjes het weten. Later misschien, maar nu niet. Zij hebben geen oorlog meegemaakt, ze begrijpen het niet.'

Hij knikte en wilde opstaan om eens in zijn schuurtje te gaan kijken. Egbert had hem al verteld dat er een aantal mensen aan de deur waren geweest. Of Huib nog een klusje kon opknappen?

'De jongen zou voor zichzelf moeten beginnen,' had hij gisteren nog gezegd voor Huib terugkwam. 'Dat is beter voor hem dan de fabriek. Hij kan werken vanuit de schuur. Hij heeft weinig nodig om het bedrijf te beginnen. Hij hoeft er geen geld voor op te nemen en anders kunnen wij hem met de centen nog een beetje steunen. Hij heeft ook altijd zijn loon afgegeven.'

Hanne was het eigenlijk wel met Egbert eens. Het was beter voor Huib, hij was te vrijgevochten voor het strakke keurslijf in de fabriek. Hij had nooit narigheid gehad, maar hij ging niet met plezier naar zijn werk. Wie van al die arbeiders deed dat wel?

Nu hij ontslagen was, kon hij de stap wagen. De tijd werd alleen maar slechter. Er werd weer gesproken over ontslagen...

Ineens keek ze hem recht aan. 'Ik sprak vrouw Verbaan,'

zei ze enkel. Haar ogen stonden ineens boos.

Huib zakte weer op de stoel. 'Ja?' Nou kwam het, dacht hij berustend.

'Hoe krijg jij het in je hoofd om Anneke ten huwelijk te vragen?' viel ze ineens uit.

Hij trok zijn wenkbrauwen op. 'Waarom niet, het zou een aantal problemen oplossen...'

'Ja, en een nog groter probleem op je nek laden. Voor wie lost het iets op als je elkaar na enkele maanden wel kunt schieten?'

'Ik mag Anneke graag.'

Hanne stond op. 'Dat is niet genoeg voor een huwelijk, jongen, een huwelijk duurt een leven lang.'

'Dat weet ik,' zei hij enkel.

Ze zweeg een ogenblik. Toen zei ze: 'Luister eens, Huib, je haalt je meer op je hals dan je denkt. Anneke heeft geen eenvoudige jeugd achter de rug, dat zegt Verbaan ronduit.'

Hij knikte en leunde voorover. 'Wat houdt die hele geschiedenis van Anneke dan in?' vroeg hij plotseling.

Hanne ging met een bons weer zitten. 'Hoe moet ik dat weten? Ik ken het meisje niet. Jij wel, zou je zo zeggen, je vraagt haar zelfs ten huwelijk. Ik heb je nog nooit over haar horen praten.'

Huib knikte alleen maar. 'Dat klopt, maar jij weet precies wat er aan de hand is met dat meisje, dat heeft ze me zelf verteld. Je kent haar achtergrond. Ze is van Belgische origine en een oomzegger van de ouwe Verbaan. Wat is er voor geheimzinnigs aan haar? Waarom verblijft ze illegaal in Nederland, waarom kan dat niet legaal worden?'

'Dat weet ik niet,' zei Hanne nadrukkelijk.

Huib keek haar stroef aan. 'Moeder, ik wil niet dat je erom liegt, want dat doe je. Je hebt de familie naar hier gehaald, met of zonder de hulp van Pieter Nijs. Waar kende je die mensen van?'

Hanne schoof ongemakkelijk op haar stoel, ze kneep beurtelings de lippen op elkaar en opende haar mond. 'Ik had Anneke moeten wegsturen toen ze hier een paar weken geleden naar toe kwam,' zei ze toen.

'Moeder, nou het hele verhaal en er niet omheen draaien.'

Ze boog het hoofd. Ze moest met de waarheid voor de dag komen, besefte ze. 'Goed, ja, ik kende de familie. Ik heb ze een aantal jaren geleden leren kennen. Ik kende Annekes moeder al voor die tijd. Ik heb zelf contact gezocht met die vrouw na de oorlog.'

'Waarom?'

'Ik voelde me met haar verwant.'

Huib fronste de wenkbrauwen. 'Verwant? Er zijn duizenden soldaten gesneuveld in die jaren. Waarom zocht je juist contact met haar?' Hij zweeg ineens toen hij de bleekheid zag op het gezicht van zijn moeder. Zijn ogen werden donker toen hij zijn moeder aanstaarde. Er drong iets tot hem door.

'Anneke vertelde dat haar vader sneuvelde in Nieuwpoort. Is dat zo?'

Hanne schudde het hoofd. 'Nee, niet in Nieuwpoort, daar was hij wel gelegerd aan het front, dat is waar. Haar vader kwam ook om in Diksmuide, net als die van jou.'

Het werd even angstwekkend stil, toen slikte Huib iets weg. Antoinette Janssen. Waren zijn eerste gedachten toch juist? Maar dat klopte niet. Of had Lenaerts hem voorgelogen toen hij zei dat Camiel Janssen geen kinderen had en dat zijn vrouw al eerder was overleden? Was Anneke... Nee, dat kon niet... Of was er nog meer gelogen?

Moeder voelde zich verwant met Annekes moeder, zei ze. Zij had de Verbaans hiernaartoe gehaald. Waarom? Wat had ze met hen uit te staan dat ze zoveel moeite voor hen deed?

Ineens flitste het door hem heen. Hij herinnerde zich ineens de verbazing op het gezicht van nonkel Jean toen de luitenant zijn verhaal vertelde: Camiel Janssen had geen kinderen. Hij had nog gedacht dat de nonkel het ook voor het eerst hoorde. Jean had toen al begrepen dat de luitenant de waarheid geweld aan deed en hij had zijn neef behoed voor uitglijers door te zwijgen. Wat hij niet wist, kon hij ook niet vertellen.

Hij begon te begrijpen…'Annekes vader. Mijn vader. Stonden ze naast elkaar voor het vuurpeloton?' vroeg hij rauw.

Hanne knikte alleen maar.
Huib sloot zijn ogen. Nou begreep hij ineens een heleboel meer. Annekes vader en de zijne. Ja, natuurlijk, moeder voelde zich verwant met Annekes moeder. Dat was te begrijpen. De twee vrouwen ondergingen hetzelfde verdriet.

Camiel Janssen, zo heette de man die tegelijk met vader was terechtgesteld. Dat had Lenaerts verteld, maar waarom vertelde hij een leugen? Waarom vroeg die man in de trein naar Antoinette Janssen. Was dat toch Annekes echte naam, Antoinette?

Hij wilde net een opmerking plaatsen, maar zag zijn moeder voor zich uit staren. 'Annekes moeder kon die mededeling niet aan,' zei ze toonloos door zijn onrustige gedachten heen. 'Ze was al zo kapot toen ze hoorde dat haar man gesneuveld was, maar toen bekend werd dat hij door zijn eigen maten was neergeknald, draaide ze helemaal door. Ze werd opgenomen in een gesticht en daar is ze schandalig behandeld: ze was immers de vrouw van een deserteur. Ze pleegde zelfmoord in 1919 en Anneke verdween in een weeshuis bij de nonnekes. Ze zouden het haar wel inpeperen, zeiden de voogden die door de rechtbank waren aangesteld. Het waren volkomen vreemden, die niets met het kind gemeen hadden. Dat inpeperen kon je rustig aan die nonnekes overlaten. Alsof een kind van zes jaar verantwoordelijk kan zijn voor de daden van volwassenen.'

'Haar oom haalde haar weg?' vroeg Huib langzaam, bijna schor. Zijn stem wilde niet meer.

Hanne schudde het hoofd. 'Verbaan zelf durfde het niet aan. Ach, het zijn keurige mensen, maar zeer gezagsgetrouw. Wat de overheid doet is goed, denken ze, eigenlijk nog steeds. Ze zouden beter moeten weten.' Hanne zuchtte diep. 'Nee, het waren aanhangers van een bepaalde groepering die opkwam voor de belangen van een aantal Vlaamse weeskinderen, kinderen van ouders die in de oorlog zogenaamd niet deugden, Duitsgezind of eh... nog erger. Ze dreigden tussen wal en schip te raken. Die kinderen werden volledig achteruitgezet. Die groepering bestond uit bezorgde en verontruste Vlamingen, je nonkel Jean was een van hen...'

Ze zag zijn verbazing. 'Ik was zo blij dat ik in Nederland was... Hoe was het anders met jou gegaan? Toen je vader en ik trouwden, is hij meteen je voogd geworden en we hebben de Nederlandse nationaliteit voor je aangevraagd. Dat ging heel gemakkelijk. We namen geen risico, uiteindelijk was jij ook half wees en je vader werd gezien als... je weet wel.'

Ze kreeg het woord deserteur niet uit haar mond, merkte Huib. Ze keek hem snel aan en staarde toen weer naar buiten.

Huib keek voor zich. De angst om haar zoon had zeker meegespeeld in moeders beslissing te hertrouwen. Vader Egbert was niet alleen haar redding geweest, ook een beetje die van Huib.

Ze snoof iets. 'Die mensen zagen Anneke binnen enkele maanden al lichamelijk en geestelijk achteruitgaan. Ze werd onmenselijk behandeld door die zogenaamde liefdezusters. Het werd haar ingepeperd dat haar vader een deserteur was, een Belg onwaardig, noem maar op. Ach, de hele gedachtegang was toen zo, daar begint nu pas een beetje verandering in te komen. Op een avond zijn leden van die groep binnengedrongen en hebben haar weggehaald, gewoon meegenomen. Je hebt geen idee hoe bang nonnen zijn voor stoere kerels...' Hannes gezicht kreeg een wrange glimlach.

'Anneke werd meteen naar de grens gebracht, daar wachtte haar oom, die haar bevend en wel overnam. Het zou allemaal zonder narigheid zijn verdergegaan als hij en zijn vrouw niet zo paniekerig waren geweest. Doodsbang voor elke politieman, voor elke brief van de overheid, die ze soms niet eens durfden openmaken.'

'Vandaar dat vele verhuizen?'

Hanne knikte. 'Verbaan wilde maar een ding: het Nederlanderschap voor zijn nichtje, dan zou ze echt veilig zijn. En dat lukte niet, hij had geen zeggenschap over haar, ze was Belgische en onmondig, ontvoerd uit haar geboorteland. Ze hoorde onder de Belgische kinderbescherming.'

'Wat hadden ze dan moeten doen?'

'De aangewezen weg bewandelen. Vooral in die eerste jaren na de oorlog was het niet moeilijk om voor Anneke een tijdelijke verblijfsvergunning te krijgen. België en Nederland zaten elkaar dwars waar ze maar konden. Die vergunning zou van jaar tot jaar stilzwijgend worden verlengd en na een paar jaar konden daar rechten aan ontleend worden. Dat weet ik van Pieter Nijs. Dat gebeurde met meerdere kinderen, die hebben nooit narigheid gehad. Dat is Verbaan en zijn vrouw ook tientallen keren uitgelegd, zelfs door Nederlandse ambtenaren op diverse gemeentehuizen, maar de oude Verbaan wilde er niet aan. Hij geloofde het niet en dus bleef Anneke als illegaal in Nederland aangemerkt.'

Huib fronste de wenkbrauwen. 'Waarom geloofde hij dat niet?'

Hanne hief de beide handen op. 'Geen idee. Maar ook in België, waar ze zich verantwoordelijk voelden voor het meisje, werd men ongerust. Ging het wel goed met haar; de oom en tante trokken aan alle kanten de aandacht met hun heen en weer gevlieg. Het was geen vraag wat de Nederlandse overheid zou doen als Anneke tegen de lamp liep, ze had geen papieren, er was nooit iets aangevraagd voor haar. Vroeg of laat zou ze worden gesnapt en dan zou Anneke het land uit worden gezet, een prooi voor de nog altijd Waals reagerende kinderbescherming.'

Huib kon een glimlach niet onderdrukken. 'Toen ze dat doorkregen, werden ze helemaal panisch,' begreep hij.

'Precies. Ze doken zelfs onder.'

Hanne zweeg een tijdlang. Huib wachtte geduldig af.

'Pieter Nijs had nog veel contacten in zijn vaderland. Een jaar of tien geleden werd in een aantal Vlaamse kranten het verhaal openbaar gemaakt van de twee terechtgestelde soldaten zonder dat er een vonnis was geveld. Er ontstond grote deining over in Vlaanderen en er waren advocaten die de nabestaanden van die militairen hulp aanboden bij een civiele procedure en dat waren niet de minste advocaten. De familie Vanderheijden zag de bui hangen en niet alleen zij, want er zou een beerput opengaan als er een rechtszaak zou komen.'

'Kreeg jij ook nog last met die lui?' vroeg hij gespannen.

'Ik woonde in het buitenland, maar ze zijn wel bij nonkel Jean en zijn familie geweest. De Waalse groep rond de kolonel probeerde de nabestaanden onder druk te zetten. Dat hebben ze met onze Belgische familie ook geprobeerd, dat viel averechts uit, al hebben ze een zware tijd gehad. Dat moet ik toegeven.'

Huib keek op. Was nonkel Jean zo opstandig dat hij de strijd wel aandurfde met invloedrijke families? Hij was toch ook lid van een groepering die kinderen aan de Waalse voogdij ontrukte?

De man leek een keurige gezagsgetrouwe man, de tante nog meer, maar ze hadden wel een appeltje te schillen met deze en gene daar in België. Hij moest niet als Nederlander denken, maar als Vlaming...

'Mij kon niets gebeuren,' zei Hanne rustig. 'Ik was getrouwd en Nederlandse. Andere weeskinderen ook niet, maar men begon te vrezen voor Annekes welzijn. Zij zat nog steeds zonder enig papier in Nederland en het was te laat om nog een verblijfsvergunning aan te vragen voor haar; dat had Verbaan jaren geleden moeten doen.'

'Vond Pieter hen en haalde hij ze naar hier?' vroeg Huib glimlachend.

'Nee, ik haalde ze op. Ik kreeg een brief van vrouw Verbaan, die wanhopig was. Ze was het reizen en trekken moe, ze had mijn adres gevonden tussen de nagelaten brieven van haar zuster,' zei Hanne eveneens glimlachend. 'Pieter heeft me goed geholpen, dat wel. Maar ik haalde ze naar ons kleine dorp, bijna zes jaar geleden.'

'Toen kwam de rust?'

'Ja, maar ze bleven bang. Ik heb vaker gehoord dat Belgische mensen die hier bleven, erg bang waren in Nederland.'

Het bleef even stil. Toen keek Huib op. 'Maar dan zal er weinig veranderen als Anneke straks eenentwintig is.'

Hanne knikte grif. 'Ja, maar dat geloven ze niet.'

Huib leunde naar voren. 'Nou zijn die lui zo bang en toch nemen ze niets van anderen aan. Ze zijn zo eigenwijs als ze lang zijn...'

Hanne zuchtte diep. 'Ja, jongen, dat is vaak aan de hand met mensen die niet zo stevig in hun schoenen staan. Ze vertrouwen zichzelf niet en anderen dus ook niet.'

Ze haalde diep adem en keek haar zoon aan. 'Dat, Huib, is het verhaal van Anneke Verbaan. Begrijp je nu dat een trouwring geen oplossing is, niet voor haar en ook niet voor jou? Het zal voor jullie beiden een zware teleurstelling worden. Een huwelijk gaat om veel meer dan alleen maar een verblijfsvergunning of een andere nationaliteit. Ik begrijp je niet, wat zie je in haar?' Ze schudde het hoofd. 'Ze zullen haar in België vanaf nu wel met rust moeten laten. Mocht ze uitgewezen worden, dan blijft het feit dat ze zelf mag beslissen over wat ze wel of niet wil, ze is meerderjarig. Maar zelfs dan zal ze het niet gemakkelijk krijgen daar.'

'Ze zoeken haar nog steeds, hoor,' zei hij kalm.

'Hoezo?' vroeg Hanne meteen en verbleekte.

Hij vertelde van de man in de trein, die hem aanklampte. Hanne beet zich op de lippen. 'Daar zit die Lenaerts achter,' zei ze onomwonden. 'Goed dat je je op de vlakte hield.'

'Is die van die groepering, die Anneke uit het weeshuis haalde?'

'Nee,' kwam het kort.

Huib zat haar zwijgend aan te zien. Hij begreep een aantal zaken niet. Als Lenaerts niet vertrouwd werd, waarom ging nonkel Jean dan naar hem toe?

'Wat is het dan voor een man, want je kent zijn naam?'

Hanne stond op. Ze had al meer dan een uur zitten praten en het werk riep. Er moesten aardappelen geschild worden, groenten gewassen en gekookt, een stukje vlees gebraden. Het moest klaar zijn om twaalf uur, dan kwam de familie thuis en die hadden maar een uurtje.

'Lenaerts is een man die het ongetwijfeld goed heeft bedoeld, die veel onrecht heeft gezien en ook ondervonden. Soms worden zulke mensen mild, soms worden ze zo fanatiek dat ze zichzelf en anderen schade berokkenen.'

'In welk opzicht?'

Hanne zuchtte voor de zoveelste keer. 'Hij heeft mensen geholpen dat is zeker, hij heeft ook mensen benadeeld, pijn gedaan...'

'Moeder, doen we dat niet allemaal op zijn tijd, zelfs zonder het te willen?'

'Ga maar met Pieter praten. Die weet er meer van.'

'Dat ga ik ongetwijfeld doen,' beloofde hij.

Ze knikte. 'En denk nog maar eens heel goed na over dat wonderlijke voorstel van je. Ik ben bang dat je niet eens kunt trouwen, al zou je willen...'

'Waarom niet?'

'Anneke heeft geen papieren, ze kan niet eens aantonen wie ze is.'

Huib blies langzaam zijn adem uit. Daar zei moeder zoiets. Inderdaad, Anneke had geen papieren...

Egbert kwam thuis met een mededeling. Er zouden weer ontslagen gaan vallen bij de fabriek. Niemand keek er vreemd van op. Iedereen kende de geruchten die al wekenlang door het dorp zongen.

'Het wordt een jarenlange armoede,' voorspelde hij.

'Als er maar geen oorlog van komt,' zei een van de meisjes.

Het werd stil rond de tafel. Huib keek zijn stiefvader aan. 'Het is een moeilijke tijd, maar ik heb eigenlijk al een besluit genomen. Ik begin voor mezelf. Ik heb in België gemerkt dat het me beter af gaat als ik kan werken zoals ik dat wil. Het zal wel een tijd duren voor er een redelijk bestaan in zit, maar ik wil het toch proberen.'

Egbert knikte. Hij was niet verbaasd, hij was er zelfs blij om. Hanne zweeg nadrukkelijk en at verder. Het was misschien niet slecht om het te proberen, wat had hij te verliezen? Hij zou voorlopig niet weer aan de slag komen in de fabriek, misschien kwam dat moment nooit terug.

'We kunnen je misschien nog een beetje helpen als het nodig mocht zijn,' merkte Egbert op.

'Ik hoop dat het niet nodig is. Ik heb in ieder geval de eerste weken al een behoorlijke werkinvulling. Maar ik moet natuurlijk wel gaan praten met deze en gene,' zei Huib dankbaar.

Hanne zweeg nog steeds. Ga je gang maar, jongen, dacht ze. Misschien ben je binnen de kortste keren ook genezen van dat rare voornemen van je. Ik hoop het uit het diepste van mijn hart. Want zo'n huwelijk zie ik eindigen in een ramp...

Diezelfde avond trok Huib zijn jas aan en kondigde aan dat hij even naar Pieter Nijs ging. Hanne en Egbert keken elkaar aan, maar zwegen.

Huib liep met grote stappen langs de straat. Het weer was wat zachter geworden, maar het was nog steeds geen voorjaar. Het bleef koud en fris voor de tijd van het jaar.

Een echte lentedag was er nog amper geweest. Maar het was ook nog geen april, dacht hij huiverend in de kraag van zijn te dunne jas. Hij herinnerde zich jaren dat er in maart nog pakken sneeuw lagen en dat het vroor dat het kraakte. Maar ook dat de mannen al zonder jasje buiten liepen omdat het zulk prachtig weer was. Het was nu guur, maar het vroor niet.

Hij liep niet langs de woning van Anneke, maar ging regelrecht naar Pieter Nijs. Pieter had de deur al geopend toen Huib het hekje openmaakte. 'Kom erin,' riep hij vrolijk.

'Hoe was het in België?'

Huib antwoordde niet, maar stapte snel naar binnen. Pieter trok de deur weer dicht en liep naar de grote woonkeuken. Vrouw Nijs knikte hem toe en de kinderen waren uit zicht, merkte Huib. Of weg, of al naar bed.

'Mijn vrouw mag het allemaal horen,' zei Pieter eenvoudig en hij schonk zelf een mok koffie voor Huib in. Huib kreeg hem ongevraagd voorgezet en grinnikte. Typisch Pieter, dacht hij. Dat deed hij de vorige keren ook al.

'Vertel maar eens, ik ben benieuwd,' noodde Pieter.

Vrouw Nijs keek hem onderzoekend aan. 'Nogal schokkend dat familiebezoek in Vlaanderen, nietwaar? Je hebt de laatste weken heel wat voor je kiezen gehad. Misschien had je moeder je toch iets moeten voorbereiden.'

Ze kende het hele verhaal al, dacht Huib. Ze heeft nooit iets gezegd, maar ze is op de hoogte.

Huib vertelde zijn verhaal, misschien vertelde hij nog wel meer dan hij aan zijn moeder had gezegd. De twee oudere mensen luisterden zwijgend en zonder hem in de rede te vallen.

Toen hij klaar was met zijn verhaal, bleef het een tijdje stil. Pieter zuchtte diep en merkte op: 'Ja, jongen, er zijn heel wat jonge mannen geweest zoals jouw vader. Het is een diepe rauwe wond in het blazoen van het vaderland, daarom wordt er niet over gesproken. Het valt amper te rechtvaardigen. Sommige soldaten, die erbij stonden, doen er denigrerend over en beweren dat in een oorlog dergelijke zaken nu eenmaal gebeuren. Anderen schamen zich een ongeluk en beseffen tevens dat het een kwestie van geluk was dat zij niet werden vastgebonden aan een paal, zoals jouw vader.'

'En Camiel Janssen,' vulde hij aan.

De twee tegenover hem knikten. Ze waren ook op de hoogte van Annekes achtergrond, besefte hij. Daarom was hij ook gekomen. Hij had nog vragen, die Pieter beter kon beantwoorden dan moeder Hanne.

Langzaam dronk hij zijn mok leeg en keek Pieter aan.

'Ken je de naam Lenaerts? Luitenant Lenaerts, beroepsmilitair in het Belgische leger?' zei hij ineens.

Pieter zweeg een ogenblik toen knikte hij kort. 'Ja, die ken ik.'

'Gevaarlijk manneke?' wilde Huib weten.

'Dat vinden een heleboel mensen,' knikte Pieter.

'Walen en Vlamingen?'

Pieter knikte opnieuw. 'Je zult van hem geen last hebben in Nederland. Maar in België moet je hem niet tegen je hebben, dat hebben sommigen aan den lijve ondervonden, vooral Franstaligen, die haat hij uit het diepst van zijn hart.'

'Wat is zijn rol als het om Anneke gaat?'

'Dat is een heel ander verhaal, jongen. Dat heeft niets te maken met de Belgische taalstrijd.' Pieter leunde met zijn stoel achterover tegen de muur. 'Anneke is niet zomaar iemand. Kijk, jongen, Annekes moeder en ook vrouw Verbaan zijn geboren in Terneuzen; er werkten veel meisjes uit Zeeuws-Vlaanderen in Antwerpen. Annekes moeder werkte bij een man alleen, een wat oudere vrijgezel...'

Huib maakte een afwerend gebaar. 'Ik snap hem al: zwanger en trouwen. Een verhaal zo oud als de wereld.'

'Min of meer, maar niet helemaal. Annekes moeder was een jonge meid, naïef en niet erg zelfstandig, ze kon weinig tegenwerking aan, dat is later ook gebleken. Na een halfjaar was ze inderdaad zwanger van haar werkgever, een militair, zullen we maar zeggen. Ze wilde echter niet met hem trouwen, ondanks het feit dat hij best aardig was, haar netjes behandelde en ook nog wat in de ouwe sok had. Ze wilde terug naar Nederland, het werd een rare tijd, er dreigde oorlog. Haar ouwelui sloten de deur vanwege de schande van die zwangerschap. Dag en nacht in een huis leven met een alleenstaande man mocht blijkbaar zonder bezwaar, maar de ogen werden gesloten voor het feit dat de kat dan wel op het spek gebonden werd.'

Huib luisterde zwijgend. Dat gebeurde zo vaak, dacht hij. Meisjes die zwanger thuiskwamen, kregen de volle laag over zich heen. Waarbij de ouwelui vaak vergaten dat zij geen cent beter waren geweest in hun jonge jaren.

'Ze ging na korte tijd wanhopig terug naar Antwerpen. Helaas, de mobilisatie was afgekondigd en haar werkgever was ondertussen vertrokken naar de kazerne. De jonge vrouw ontmoette toen een jongeman, Camiel Janssen, die wel met haar wilde trouwen, ook het komende kind was welkom. Camiel stond alleen op de wereld, zijn ouwelui waren overleden, broers en zusters waren uit zicht of waren er niet eens, dat laat ik in het midden. Ik denk dat die omstandigheid wel enigszins heeft meegespeeld bij hem, maar er werd snel getrouwd. Na een maand of drie werd Anneke geboren. Het huwelijk marcheerde goed ondanks de rare start, dat dient gezegd, maar toen werd het oorlog. Camiel werd oorlogsvrijwilliger, hij had geen werk, vandaar. Hij lag bij de infanterie in Nieuwpoort, jouw vader in Diksmuide, ze werden in 1915 beiden gefusilleerd omdat er een voorbeeld moest worden gesteld.'

'Wie is Annekes werkelijke vader, die luitenant Lenaerts?' vroeg Huib langzaam.

Pieter knikte glimlachend. 'Je hebt het al geraden. Ja, inderdaad. Er gingen zelfs geruchten dat hij niet helemaal onschuldig was aan de doodstraf voor Camiel...'

Huib hief met een ruk het hoofd op. 'Was dat zo?' Hij was geschokt. De man die zich inzette voor rehabilitatie van deze soldaten zou zelfs schuld hebben aan hun dood? Daar wilde hij niet aan.

'Het verhaal kwam uit de Waalse koker, daarom geloof ik er geen barst van. Daar kwamen wel meer van die geruchten over Vlamingen vandaan. Een smerig soort laster. Er gingen in die jaren zoveel geruchten, net als nu vanwege de moord op de kolonel en de dood van koning Albert.'

'Ik had het gevoel dat Lenaerts heel goed wist hoe het zit met die moord op de kolonel.'

Pieter grinnikte onaangenaam. 'Natuurlijk weet hij dat. Hij kent waarschijnlijk zelfs de namen van de moordenaars.

Maar die zullen nooit bekend worden en ik denk dat het ook beter is.'

Huib verzonk in gedachten. Hij begreep het nu beter. De man in de trein: kent u Antoinette Janssen. Een handlanger van de luitenant, die op zoek was naar zijn dochter? Het kon toch geen kwaad als hij zou weten waar Anneke zich bevond?

Hij kon haar waarschijnlijk heel goed voorthelpen met papieren en andere zaken. Maar toch, hoe kwam Anneke dan in een weeshuis terecht? Dat zou Lenaerts toch nooit accepteren? Hij zei het hardop.

'Lenaerts had geen idee waar Annekes moeder was gebleven nadat haar ouwelui haar de deur wezen. Het was mobilisatie en het werd oorlog, er waren wel andere zaken om over na te denken. Hij heeft haar ongetwijfeld in Nederland gezocht. Bovendien was Camiel haar wettige vader, Lenaerts kon geen enkel recht doen gelden. Ik ben ervan overtuigd dat hij pas na de oorlog heeft vernomen wat er allemaal gebeurd was.'

'Daarom zoekt hij haar nu,' meende Huib kalmpjes.

'Dat is wel mogelijk. Ik weet niet of het veel zal uithalen voor het meisje.'

'Het was verstandiger dat ze trouwde, dan was ze overal vanaf,' meende Huib.

Vrouw Nijs keek hem aan. 'Ja, jongen, trouwen zou een goede oplossing zijn, maar dan wel op de juiste gronden.' Ze leunde over de tafel heen. 'Ik heb gehoord van Verbaan dat jij genegen bent om Anneke een zelfstandige en legale status te verstrekken, maar dat lijkt mij niet de aangewezen weg. Anneke heeft niet veel geluk gekend in haar leven, er is jarenlang met haar rondgesjouwd en ik weet dat de ouwe Verbaan en zijn vrouw vaak hebben gezegd: hadden we dat kind maar nooit gezien. Het is rampzalig voor een kind te moeten beseffen dat het niet gewenst is. Anneke is volgens mij voorlopig nog niet geschikt voor een huwelijk.'

Precies wat moeder Hanne ook verkondigde, zij het in andere woorden.

'Wat kunnen we doen?' vroeg hij. 'Anneke wordt deze week eenentwintig jaar.'

'Ja, en ze is nog steeds illegaal in Nederland,' zei Pieter langzaam.

'Mijn moeder zegt dat er niet getrouwd kan worden: Anneke heeft geen papieren.'

Pieter haalde de schouders op. 'Dat is geen probleem, ik had ook geen papieren. Toen ik trouwde is er een getuige geweest die een akte van bekendheid heeft ondertekend: hij kende mij als Pieter Nijs, Belgisch vluchteling en militair. Dat is voldoende voor het sluiten van een huwelijk. Er zijn hier mensen genoeg die willen bevestigen dat Anneke hier al vijf jaar woont en dat ze steeds Anneke Verbaan heeft geheten.'

'En Lenaerts dan?'

Pieter keek hem strak aan. 'Lenaerts is een Belg en hoort in België. Hij was er niet toen zijn dochter hem het hardst nodig had. Dat is hem niet te verwijten, maar het is wel een feit. Hij heeft jarenlang geweten dat hij ergens een dochter had, maar pas de laatste jaren is hij op zoek naar haar. Laten we het zo stellen, Huib: hij is te laat. Anderen hebben in het verleden beter voor haar gezorgd, zowel in België als in Nederland. Het is aan Anneke of zij haar biologische vader wil leren kennen. Aan niemand anders. Zij heeft tot nu toe geen behoefte gehad om hem te ontmoeten.'

'Weet ze van zijn bestaan?'

'Sinds ze hier woont, ja, en dat was destijds nog een hele schok voor haar.'

Huib liep later naar huis, de handen diep in de zakken. Pieter liep met hem mee langs het tuinpad naar het hekje voor zijn huis. 'Jongen, als jij werkelijk iets voor dat meisje voelt, speel het dan op de normale manier. Ze mag jou graag, dat heeft ze me verteld, maar ze heeft me ook gezegd dat haar

213

antwoord 'nee' zal zijn op je huwelijksaanzoek, ook al zien haar ouwelui het helemaal zitten. Ze heeft gelijk dat ze er niet intrapt. Zoek gewoon verkering met haar, bekijk het in alle rust en denk even niet aan trouwen. Ondertussen werken anderen aan een officiële status voor haar, hetzij een Belgische, hetzij een Nederlandse. Jij bent werkloos, je hebt haar weinig te bieden op dit moment, lijkt me.'

Hij knikte wat bedeesd. Ja, daar zei Pieter iets. Hij moest nog beginnen met zijn eigen bedrijf. Nu had hij er de tijd en de gelegenheid voor om het op poten te zetten. Over enkele jaren was de hele situatie compleet anders, voor hem en hopelijk ook voor Anneke.

Pieter sloeg Huib op de schouders. 'Ga naar haar toe en vertel dat je alles weet van haar en dat je er wilt zijn voor haar. Dat je graag verkering wilt. En wacht af wat de toekomst te brengen heeft.' Hij grinnikte. 'Je zult zien: dan komt het allemaal best in orde, maar alleen op die manier.'

Huib glimlachte wat hulpeloos en liep de straatweg op. Pieter keek hem na. Jij bent precies degene die Anneke moet hebben, jongen, onverstoorbaar, nuchter en bedaard, net zoals je stiefvader is. Wat dat betreft lijken jullie als twee druppels water op elkaar. Je bent het tegengestelde van haar oom en tante. Ik weet dat Anneke op je zit te wachten, maar je mag er best wat moeite voor doen.

Huib liep langzaam onder de straatlantaarn door. Er was de laatste weken veel gebeurd, dacht hij. Het verleden had zijn toekomst en zijn leven zonder genade gekruist. Er moest orde op zaken worden gesteld. Hij was naar België gereisd, hij had de schok van zijn leven gekregen en het zou nog een tijd duren voor hij die schok te boven was. Maar die reis had ook de weg vrijgemaakt om dat ene meisje dat hij al zo lang vanuit de verte bewonderde te kunnen benaderen.

De weg naar het front was afgelegd en hij was terugge-keerd, een illusie armer, een wetenschap rijker, een andere man dan die vertrokken was.

Ja, dacht hij, ik moet naar Anneke toe. Ik heb haar het

nodige voor te stellen. Hij draaide zich om en liep met grote stappen naar die eenvoudige boerenwoning met een hoge heg voor de deur en de gesloten vensters, waarachter bange mensen woonden.

Het werd tijd dat daar verandering in kwam, dacht hij, en dat de wereld daar zonder angst weer welkom was.